シン・スタンダード

日本人が生きづらいのは、日本の常識しか知らないから

谷口たかひさ

サンマーク出版

突然だが、ここでひとつ、皆さんにご質問。

問

❶ あるお父さんが、助手席に自分の息子を乗せて車を運転していた。

❷ その車が事故にあい、2人は救急車で近くの病院に運ばれた。

❸ その病院の医師が、運ばれてきた息子のほうを見て、「彼は私の息子だ」と言った。

❹ さて、医師まで、男の子のことを「息子」と言ったのはなぜだろうか？

もしこの問題の答えがすっきりと答えられない場合、あなたのなかに凝り固まった常識が隠れていると言えるだろう。

その正体は一体何か。そして、そもそもこのクイズの答えが一体何を意味するのか。

ぜひこの後のイントロダクションでお確かめいただきたい。

イントロダクション

これは、ファストフード店で働く僕の友人から聞いた話である。

家族の分を買いに来るのが父親だと、従業員の間で「良いお父さんだね！」と盛り上がるらしいのだが、

それが母親だと、「（家事を）サボってる！」と言われてしまうことがあるらしいのだ。

WEFが発表した、2023年版の『世界男女格差報告書（ジェンダーギャップ指数ランキング）』で、調査対象となった146ヵ国中、日本は125位だった。

これまで80ヵ国を渡航し、ドイツやイギリスに住み、TEDにてスピーチ、2021年国連総会司会＆スピーチを行うなど、世界の人々に触れて思うことがある。

世界から見れば男女平等ではない部分が日本にはたくさん存在しているということ。そこで、冒頭の問いに戻ろう。

問

❶あるお父さんが、助手席に自分の息子を乗せて車を運転していた。

❷その車が事故にあい、2人は救急車で近くの病院に運ばれた。

❸その病院の医師が、運ばれてきた息子のほうを見て、「彼は私の息子だ」と言った。

❹さて、医師まで、男の子のことを「息子」と言ったのはなぜだろうか?

しかし、この文章、何もおかしなことはない。

なぜなら、この医師はこの息子の母親だったからだ。

さて、日本では、医師や政治家、経営者といった職業やポストにつくのは、男性であることが圧倒的に多い。そのため、このクイズに違和感を覚える日本人は非常に多いはずだ。

逆に、北欧で同じクイズを出しても間違いなく成立しない。つまり、違和感を覚える人がいないのだ。

それは、北欧の国々では、女性が医師や政治家、経営者を務めることはさして珍しいことではないからだ。

ちなみに、フィンランドでは、34歳の女性が世界最年少で首相になり、国の重要なポストにつく男女比において、女性のほうが多い政権となった。

もしも、このクイズにおいて「なぜ事故をしたこの男の子には、父親が2人もいるの?」と違和感を抱いた方がいらっしゃるなら、ぜひとも、この本を読んでもらいたいと思う。

本書は、お金や教育または家事などの身近なことから、政治や環境問題などのグローバルなジャンルにおいて、「日本人だけがまだ知らない、世界の常識」と題して、「世界の常識」と「日本の常識」を比較した本である。

なぜ、そんなものを知る必要があるか?

それはそうすることで、日本人の根底にある「価値観の選択肢」を増やすことができるからだ。

たったひとつしかないケーキから、自分の好きなケーキを見つけるのは不可能である。なぜなら選択肢がひとつしかないから。それを正解と思うしかない。

しかし、それが、3つ、4つ、5つと選択肢が増えていくことで、精度の高い「比較」が生まれ、自分の「好き」の解像度は上がっていく。

同じように、海外の文化や常識、または政治や環境問題への取り組みを知ってもらうことで、きっと自分が大事にしたい「価値観」に対する解像度は自ずと上がっていくはずだ。

ぜひ、この本をきっかけに、あなただけの「新・スタンダードと真・スタンダード、そして心・スタンダード＝シン・スタンダード」を見つけてもらいたいと思っている。

そして、次の２つの感覚を手にしてもらいたいとも。

ひとつは、心がゆるまる感覚。外の世界を知ることで、先入観という思い込みの器の中で勝手に窮屈さを感じていたことに気づけるはずだ。

そしてもうひとつは感謝してもしきれない感覚。外の世界を知ったからこそ、日本の当たり前がいかに当たり前ではなく、ありがたいものだったのかに気づけるはずである。

僕がこの本を出版する上で思い描く目標は、この本が「役立たずの本」になることである。

「なんでそんな当たり前のことばかり、この本には書いてあるの？」

そう言われたら、それ以上に嬉しいことはない。

まるで先に書いたクイズが北欧では、全く成立しなかったように。

CONTENTS

CHAPTER 2

MONEY

CHAPTER 3

EDUCATION

CHAPTER

4 FOOD

CHAPTER 7

ENVIRONMENT

CHAPTER

1

HAPPINESS

家事が減れば、
ガスや電気を使う時間も減る。
それって、人にも地球にも
優しい行為。

日本のお母さんは家事をやり過ぎ

イギリスでホームステイをした時、生まれて初めて日本以外の国の文化に触れた。

イギリスのママたちは「日本のママ」にどんなイメージを持っているのだろうか?

そんなことが気になったある夜、ご飯を食べながら聞いてみた。

すると返ってきたのはこんな答えだった。

「世界中の人にとって日本のスシは特別よ。あと、アニメも最高。あ、でも……日本のお母さんは家事をやり過ぎね」

ここで「日本のお母さんは家事をやり過ぎ」という話題が唐突に

出てきたことには驚いた。

しかし、後日ドイツでも、「日本のお母さんは家事をやり過ぎ」という話が出てきたのだ。

というのもドイツでは、お母さんが料理に「火を使う」のは、晩ご飯の時だけだという（**一切使わない日もあるとか**）。

朝ご飯は、冷たいパンに冷たい具材を各々がはさんで食べたり、フルーツやシリアルだったり、

昼ご飯も、冷たいサンドイッチやフルーツを各々が持っていくだけ。

ちなみに、ホームステイをさせてもらったイギリスのその家庭では、掃除はしても月に1回か2回だった。

洗濯も、「バスタオルはかけていれば乾くから」と、週に1回く

らいだった。

それに、食器洗いは、特大の容器に使い終わった食器たちを浸けておいて、使う時に使う人が使うものを洗う（浸け洗いで洗剤も最低限）というルールが敷かれていた。

これは、「清潔感」における日本の要求水準が、高いことも影響しているのかもしれない。

しかし、それだけで片付けていい問題なのだろうか。

なぜなら、本当はやらなくていいほどの家事をわざわざやって、それで疲弊しているのなら……

解決の糸口は「やめること」だから。

せめて、この文章を読む、あなたの家庭にだけでも「日本のお母さんは家事をやり過ぎ」という現実が伝わり、そして価値観に変容が起こることを祈っている。

お母さんの家事が減れば、その先にたくさんの良い未来が待っているはずだ。

例えば、洗濯や食器洗いが減れば、水の使用量も減り、汚水の量も減るわけだし、

料理で火を使うことが減れば、ガスの使用量も減るわけだから、確実に環境にとっても良いことずくめである。

また、子育ての面で見ても、お母さんの家事を減らせれば、ある程度はお父さんや子どもがやらざるを得ないはず。

こうなればきっと、子どもの「自立」にも繋がると思う。

家事の基準を下げてみる。

これは実はお母さんが楽になるための施策というだけではなく、地球にも、家族のためにもなる、みんなに喜びを運ぶ施策なのだ。

全ての人には非凡な才能がある。
しかし、サカナが木に登る能力だけで
自分を評価されるなら、
サカナは一生を自分はバカだと
思いながら過ごすことになる。
―アルベルト・アインシュタイン（理論物理学者）

幸福度世界上位の国では通知表をつけない

「趣味は？」

こう聞かれると僕は、真っ先に「勉強」と答えている。

そう答えると日本では、とても珍しがられるかもしれない。

だけど僕がヨーロッパで学生をやっていた時は、少なくとも周りに勉強を楽しんでいる人がたくさんいた。


「なぜ日本の人は、こんなに勉強嫌いの人が多いんだろう」

その理由をずっと考えていた時のことだ。ある中学2年生の日本人の女の子がこんな話を聞かせてくれた。


彼女は、クラスで2番目に成績が良く、勉強が大好きだったそうだ。**しかし、環境が変わり、周りに勉強が得意な人ばかりになった時のこと、たちまち彼女の成績の順位は下から数えたほうが早くなったのだとか。**

その途端、彼女は勉強が嫌いになったというのだ。

もちろん、勉強そのものの中身が変わったわけでも、彼女の理解度が変わったわけでもない。

変わったことと言えば、人と比べた時の成績の順位だけ。

僕はなんだか日本人が勉強を嫌う理由が分かった気がした。

勉強そのものが好きとか嫌いとかの前に、それによって「点数」という数字をつけられ、他の人と比べられるのが日本。

この仕組みを敷く以上、成績が上位の人以外は勉強が嫌いになる。
……そんな仮説が立てられるのである。
そう考えると、ひとつ納得できることがある。

デンマークでは、子どもにテストや通知表で点数をつけることが禁止されているそうだ。

そして、そんなデンマークでは、勉強が好きな子どもが多いと言われている。

ひょっとしたら、幸福度ランキングで頻繁に上位になることにも、このことが影響しているのかもしれないとすら思う。

こんなことを言うと、
「いやいや、成績は数値化することで競争意識が生まれ、学力を伸ばすことができるんですよ」といった反論があるかもしれない。

しかし、そんな発言を一刀両断するように、国際学力調査でもデンマークは世界トップクラスという結果が出ている。

「好きこそ物の上手なれ」という言葉があるが、まさにその言葉が現実になった良い例ではないだろうか。

僕は、毎日のように全国の学校で講演させてもらっている。

そんななか違和感を抱くのは、今の日本の小学校の先生たちの驚きを隠せないほどの「仕事量の多さ」だ。

「通知表」だって、とても大変な仕事のはず。

「当たり前のようにある」「これまでもそうしてきた」という先入観を取っ払い、なくすことができたなら、

子どもたちはもっと勉強が好きになるかもしれないし、そうなれ

ば、親たちもガミガミ言わずに済むはず。
そんなふうに、やめるだけで、みんながハッピーな世界が待っているかもしれない。

ちなみに僕が日本の教育に対して違和感を抱く、もうひとつの大きな点は「なんでも減点方式」だということだ。

例えば日本では、得意な教科があれば、**「あなたはその教科は得意だから、他の苦手な教科を頑張ろう」**と言われることが多くないだろうか。
そのせいか、「あいつは、○○はできるけど××はできない」といった具合に、自分の得意なものでは自分を評価してもらえないことが日本では多い気がするのだ。

一方、海外の多くの国においては、得意な教科があれば、「あなたはその教科が得意だから、さらにその教科を伸ばそう」となることが多い。

つまり、日本とは違い、海外の多くの国では「加点方式」なのである。

この減点方式も日本人の多くが勉強を嫌いになる、大きな理由だと思っている。

たったひとつ、好きな教科や得意な教科があれば、それはもう「勉強が好き」と胸を張って言っていいし、「勉強が得意」と言っても良いのではないかと僕は思っている。

ましてや、「嫌いな科目」を、少しでもマシになるようにと、向き合わされるような勉強法はやらなくていい。

人生は短い。
嫌いなことや苦手なことに費やす時間なんてないのだ。

約10〜20年後には、
（2013年にあった職業のうち）
約半分の職業はなくなる。

世界一貧しい大統領からの日本の子どもへのメッセージ

「世界一貧しい大統領」として知られるホセ・ムヒカさんと対談をさせてもらった。

そのホセ・ムヒカさんからの、日本の子どもたちへのメッセージが次の通り。


〝日本にいる子どもたちよ。

君たちは今、人生で最も幸せな時間にいる。

経済的に価値のある人材となるための勉強ばかりして、早く大人になろうと急がないで。

遊んで、遊んで、子どもでいる幸せを味わっておくれ。〟

日本全国を講演で回っていて、毎日子どもたちと逢うけれど、ビックリするのは、今の小学生は本当に〝忙しそうだ〟ということ。国立教育政策研究所の調査によると、現在の小学生（第6学年）の「2人に1人」が塾に通っているという。

塾に通っている理由で最も多いのは「受験のため」だそうだ。

小学生というかけがえのない子どもの時間を、遊ぶこともせず、学力の高い中学校に入るための勉強に費やす。

無事に学力の高い中学校に入れたなら、次は学力の高い高校に入るための勉強が待っている。

無事に学力の高い高校に入れたなら、次は学力の高い大学に入るための勉強が待っている。

無事に学力の高い大学に入れたなら、次は安定した会社に入るための試練が待っている。

無事に安定した会社に入れたなら、次は出世のための競争が待っている。

そうして定年までを勤めあげ、敷かれたレールから落ちないことだけに必死だった人生に、やっと自由が訪れる。

その時にはもう、人生の時間もエネルギーも多くは残っておらず、自分にこう問いかける。

「これが自分の人生だったのか」


もちろん、そんな生き方を否定したいというわけでは決してない。ただ、それでいいのかを自分に問いかけてみて欲しい。

レールの上を走るだけでは、レールのない場所を自分の足で歩く充実感や、そこでしか見れない景色には出逢えない。

それに、レールから落ちなかったケースのことを書いてみたけれど、レールから落ちるケースのほうが圧倒的に多いと思う。

受験に落ちたり、就職がうまくいかなかったり、リストラ、会社の倒産など、レールから落ちるタイミングなんていくらでもある。

レールの上にしか人生がないと思っている人は、一度レールから落ちると自暴自棄になったり、自己嫌悪におちいったりしてしまう。

さらに言えば、世界大学ランキングでトップだった英オックスフォード大学は、以下のように発表した。

「約10〜20年後には、（2013年にあった職業のうち）約半分の職業

はなくなる」

つまり、必死で落ちないようにしているそのレールは、そもそも先がないレールかもしれない。

これからの時代に求められるのは、「なにが起きても自分でなんとかする」という強さや、知恵や人格だと思う。

そしてそれは、勉強だけしていて身につくものではない。

遊びのなかにこそ、学びがあるのだ。

それに、「経済的な豊かさ=幸せ」というのは真っ赤なウソだということを、そろそろ大人から認めて、子どもに伝えていきたいものだ。

「GDP（国内総生産）ランキング」と、「幸福度ランキング」は、驚くほど一致していない。

ハーバード大学も、75年に渡る研究の結果、「お金」と「幸福」は無関係で、「信頼し合える人間関係」が一番だと結論づけた。

日本で一番経済が活発なのは言うまでもなく東京だけど、「都道府県幸福度ランキング（2022年）」で東京は46位だった。

「経済的な豊かさ＝幸せ」は真っ赤なウソだという証拠は、これまでのどの時よりも、今、僕たちの前に出揃っているのだ。

子どもの頃のかけがえのない時間は、一度過ぎてしまったら、二度と返ってはこない。

「遊んでばかりいないで、勉強しなさい！」

僕が子どもの頃、こう言われている子をよく見たけど、今、僕は心の底からこう思う。

「勉強ばかりしてないで、遊ぼう！」

子どもだけでなく、大人も思いっきり遊んでいいと思う。

本気で遊んで、人生を楽しんでいる大人の背中こそが、子どもに希望を与える。

思考の偏りを防ぐために
自分が元々
持っている意見とは
逆の立場に立って
ディベートしてみるといい。

フェイクニュースから自分を守る方法

海外に出たことで感じるのは、「日本人は頭（思考）が偏りがち」だということだ。

やはり島国ということで異文化との交流が少ないことや、そもそも「他人との違い」を嫌う文化であることが大きいのだろう。いわゆる同調圧力というやつだ。

もちろんそのおかげで、団結しやすいという側面もあるので、一概に「悪」と決めつけたいわけではない。

しかし、やはり常に冷静な自分でいるためにも、「思考は偏らないほうがいい」というのが僕の意見。

そこでまず、なぜ思考は偏らないほうがいいと思うのか、その点について、まとめてみたいと思う。

頭（思考）が偏っていると損をする2つのこと

頭が偏っていると損をすることのひとつ目として挙げられるのは、「フェイクニュースに騙されやすい」ということ。

日本ではよく「フェイクニュース」なるものが話題になるが、僕が信じられないのは、明らかなフェイクニュースであっても、あたかも真実かのように信じてしまう人が非常に多いことだ。

新型コロナウイルスが蔓延し始めた時、フェイクニュースでたくさんの日本人が踊らされたことは記憶に新しいのではないだろうか。

もちろん「フェイク」というだけにそれらは全て誤情報。

やはり、「これはフェイクニュースだな」とすぐさま判別できる自分でいるほうがいいに決まっている。

しかし、頭が偏っていては、そのニュースがフェイクかどうかなんて、疑えないのである。

なぜなら、頭の偏りがある人ほど、自分が偏っていることに気づけないからだ。

「知人が言っていたから」といった理由でニュースを鵜呑みにした経験が一度でもあるなら、自分の頭の偏りを疑ったほうがいいだろう。

そして、頭が偏っていると損をすることとしてもうひとつ挙げられるのは、「自分のメンタルヘルス（精神衛生）に良くない」という点だ。

「0か100」、「白か黒」といった具合に、思考が偏ってしまっている人は、例え自分と同じ側の意見であったとしても、場合によっては、その人の意見にストレスを感じがちである。

なぜなら、「白」に極端に偏っている人は、薄いグレーも黒に見え、「黒」に極端に偏っている人は、濃いグレーも白に見えるからだ。

つまり、側から見たら同意見なのに、自分と逆の意見であると思い込み、強いストレスを感じてしまうのだ。

では一体、どうすれば頭の偏りを防ぐことができるのだろうか。

自分の頭の偏りを防ぐ方法

頭の偏りを防ぐ方法。

それは自分が元々持っている意見とは、あえて逆の立場でディベートをしてみることだ。

逆の意見を主張しなくてはいけなくなった途端、なにも言葉が出なくなる人がいる。

しかし、それこそが、自分の頭が偏っている証拠だ。

自分の意見はありながらも、偏りのない人は、どちらの立場でディベートしても言葉が出てくるのである。

僕もイギリスで学生をしていた時に、この練習をひたすら授業でさせられ、それは今もとても役に立っている。

逆の意見を自分が主張していると、
「逆の意見も一理あるかもしれない」
と感じることもあり、偏りがほぐれていくだろう。

「ある夫と妻は、どちらも
自分の仕事のほうが
(自分の家事のほうが)
大変だと主張し、ケンカ続きです。

そこで3日間、
仕事と家事を交換してみました。

するとお互いの大変さが分かり、仲直りしました」

昔、こんなニュアンスのことが書かれた絵本を読んだ。
このトピックスでお話ししたことはまさにこれ。
もし、ある特定の人と、いつもあるトピックで意見が割れてケンカになるという人は、
ぜひ一度、お互いが逆の立場になってディベートしてみることをおすすめする。
分かり合えることもあるかもしれない。

あなたが政治に
無関心になるなら、
政治もあなたに
無関心になる。

なぜ日本人は、政治に関心がないのか？

「ヨーロッパと日本ではなぜこんなにも環境への意識が違うのか」

これは講演で本当によくいただく質問のひとつ。


多くの人は、その原因は「教育の違い」だと思うかもしれない。

しかし、一番は……

「心の余裕」だと思っている。


ヨーロッパの投票率は、日本のそれと比較して大幅に高い国がほとんど。

日本は50％前後しかないにもかかわらず、ヨーロッパでは80％を超える国も珍しくない。

しかも日本で投票に行く人は年齢が高いか、年収が高いかのどちらかだと言われている。

当然、投票率が低く、さらに投票に行く人が偏っているとなると、「税金の使われ方」も偏りが生まれ、社会保障も充実しにくいことは想像に容易い。

例えば僕の住んでいたドイツでは、教育費が無償だった。

一方、日本はというと……私大の教育費の平均は400〜500万円。

そうなると、子どもが3人いて、全員大学は出させてあげたいとなった場合、

大学の授業料だけで、1000万円をゆうに超えるお金を確保する必要が出てくるのである。

つまり、生きることだけでも必死なのだ。こうして心の余裕がなくなっていくのである。

そんななか、「気候変動」がどうのこうの言われても、そんなことには関心が持てないに決まっている。

「国が、自分や自分の家族を守ってくれる」

そういった心の余裕ができて、初めて人は、環境を大切にするなど、当たり前のことが当たり前にできるようになるのだ。

では、そんな僕たちがすぐにできることって一体なんだろうか？

逆説的ではあるが政治に少しでも関心を持ち、せめて投票に行くことだ。

そうやって僕たち市民は声を上げていかなければいけない。

「投票に行かないこと」は、政治に対して、「今の状態で特に不満はない」と言っているのと同義である。

あなたの1票が、社会の心の余裕を作ることに繋がっている。
そんな自覚を持ってもらえると、とても嬉しい。

そしていつか、多くの日本人に心の余裕が生まれ、
「さあ、これからの地球環境のことをみんなで考えよう！」とたくさんのムーブメントが起こることを願っている。

最後に、ぜひこの言葉を、あなたの胸に刻んでほしい。

「あなたが政治に無関心になるなら、
政治もあなたに無関心になる」

政治家だって人間だ。
変えたいなら、まずはあなたが興味を持つことから。
そこから全ては始まる。

スウェーデンの教科書には、
「ルールは変えるもの」と
書かれている。

日本ではルールは守るもの、世界ではルールは変えるもの

スウェーデンの小学5、6年生の教科書を読んだ時のことだ。僕はその内容にすごく感動したことを覚えている。

そこにはこう書かれていた。

「ルールは変えるもの」

スウェーデンの教科書にはさらに、例えば100年前と現在ではどれくらいルールや常識が異なっているかが説明され、

そして、常識を疑うことや変えたいなら自分がまず行動することの大切さ、さらにその具体的な方法までもが書かれているのだ。

一方、日本の学校で講演をした際、生徒たちに「ルールにおいて大事なことって何?」と聞くと、大抵、「守ること!」と返ってくる。

確かにルールを守ることは大切だ。

しかし、冷静に見ると、ルールは「その時の大人の都合」にすぎないことがほとんど。

つまり、ルールを作る側の安心・安全を担保するために作られている、ということだ。

ちなみに、僕が住んでいたドイツでも、「ルールは変えるもの」として、同様のことを小学校で教わるそうだ。

そして、実際に小学生が行動して社会を変えた例が紹介されているテレビ番組もあった。

ルールを変える者こそが、「ヒーロー」というわけだ。

僕がイギリスに学生として住んでいた頃は、よく街頭でデモを行っていた。ところが、そのことを注意されるどころか、先生に褒められた。

社会を変える具体的な方法として、スウェーデンの教科書で一番に紹介されているのが「署名を集めること」だ。署名には法的拘束力はないものもあるが、効果は絶大である。

得票「数」が生命線の政治家。
消費者「数」が生命線の企業。

視聴者「数」が生命線のメディア。

保護者や地域住民の声の「数」を無視できない、学校や教育委員会。

そんな「数」が集まった署名に効果がない理由を説明するほうが難しい。

なお、ＥＵが「ミツバチへの悪影響」を懸念して、「ネオニコチノイド」と呼ばれる農薬の規制が進んでいる。

その背景には、多くの人からの署名が集まっていたことが知られている。


おかしいと思うルールや常識があるなら、自分が具体的に行動して変えればいい。

沈黙は容認も同じだ。

混ぜるな危険!!「事実」と「価値観」

スウェーデンでは、「事実」と「価値観」は別々で語られる

さらにスウェーデンの小学校の教科書を読んでいて、感銘を受けた言葉がある。

〝「事実」と「価値観」を区別することはとても大切です。〟

この言葉に出会って以来、僕もこの区別についていて本当にいつも気をつけるようにしている。

「お肉は環境負荷が高い」は「事実」。
「だからお肉を食べることは悪」は「価値観」。

この「事実」と「価値観」をごちゃ混ぜにする人が実に多い。

「価値観」とは、所詮、その人のなかに存在するものさしで測るた

だの判断基準であり、ものの見方でしかない。

一方で、事実は事実だ。現実に存在する事柄だ。

そういう意味で、「事実」はたったひとつしかないのだが、「価値観」は人の数だけ存在してしまうのである。

だからこそ、誰かと意見を交換する時や会話をするなかで、やはり全くの別物である「事実」と「価値観」は切り離すべきなのだ。

そうは言っても、もちろん「価値観」は無駄と言っているわけではない。「あくまで自分の価値観」として相手に伝えることはいいことだと思う。

さらに言えば、「言論の自由」はこの国で保障されている権利のなかで最も大切なもののひとつだし、色々な価値観に触れることは、イントロダクションでも触れたように人にとってもプラスになりうるだろう。

しかし、人と価値観が違ったからといって、自分の価値観を否定された気になる必要はないと言いたいのだ。

最も良くないと思うのは、「価値観を人に押し付ける人」。

そんなことをする権利は誰にもないし、その行為は人の自由の権利を尊重していない。

自分の価値観を頭ごなしに否定されたり、価値観を押し付けられたりすることほど、不愉快なことはないのだ。

そんなわけで、事実と価値観を切り分ける。

その態度が、今の地球では大事なのだと考えている。

私たちが何もしなければ
悪が勝つ。
—イヴォン・シュイナード

「日本人は時間に厳しい」はウソ

「日本人は時間に厳しいと言うけど、あれウソだよね。始まりの時間は守るけど、終わりの時間は守らないじゃん」

これは、日本で働いているヨーロッパ出身の友達に言われて、目からウロコだったこと。

確かに、日本は残業が多く、労働時間が長いことで知られている。厚生労働省などが発表している、「週50時間以上働いている人の割合」を見ても、世界のトップを走っている。

「週50時間以上」というと、「月200時間以上」のペースで働いている人が三人に一人近くもいるという状態。

年間の労働時間も、ドイツと比較すると約1・3倍となっていて、時間が限られている人生においてこの差はスゴいと思う。

それだけ長い時間働いて、身も心もクタクタになれば、とてもじゃないけど、「政治に関心を向け、投票に行く」なんて余裕はなくなる。

実際に、「働きすぎている国ほど、投票率が低い傾向がある」とヨーロッパで教わった。

社会で起きている問題に対して、〝不感症になり、不干渉になる〟。そうなってしまえば、権力側・管理側は暴走しやすくなり、社会はさらに悪いループに突入する。

そもそも、始業時間には厳しく、終業時間にはルーズということそのものが（残業代をふまえても）、権力側・管理側に有利に思える。

同調圧力や空気に抗うのは、勇気も体力もいることだと思うけど、それをしない限り自分は何かを奪われ続ける。

僕も異常に長時間労働を強いられる仕事についたことがあるから痛いほど分かる。

自分の命の時間や権利が守られるようにするためには、勇気を出して自分が少しずつでも抗うしかない。

人生は、「B」＝Birth（誕生）と
D＝Death（死）の間にある、
C＝Choice（選択）である。

人生は「B」と「D」の間の「C」である

環境破壊、感染症、貧困、飢餓、戦争、差別……。
僕たちが生きている今の世界は、解決しなければいけない大きな問題が山積みだ。
しかし、これらの大きな問題よりも、さらに大きな問題だと思うものがある。

それは、「自分がやったところで……」と問題から目を背けてしまうことだ。

問題がどれだけ大きく見えようとも、
どんなに困難な状況に身を置かれていても、

僕たち一人一人には、できることが必ずある。

そして、問題がどれだけ大きくても、

隣の人がどんな人であっても、

「自分はどう生きるか」は、自分で選ぶことができるのだ。

哲学者ジャン・ポール・サルトルは、こんな言葉を生前に残した。

〝人生は、BとDの間のCである〟

「B」とは「Birth（誕生）」。

「D」とは「Death（死）」。

そして、その間にある「C」とは「Choice（選択）」を表している。

つまり、人生とは「誕生」と「死」の間にある「選択」を意味する、ということだ。

確かにそうなのである。

「どう生まれてくるか」は選べないし、
「どう死ぬか」は選べないが、
「どう生きるか」は選ぶことができるから。

他人のことをとやかく言ったり、怒りや悲しみや妬みや無力感に心を支配されたりするヒマがあるなら、覚悟を決め、「自分にできること」を淡々とやる。

前パタゴニア日本支社長の辻井さんとコラボした時、「谷口さんは日本のクリキンディだね」という言葉をいただいた。

「クリキンディ」とは、南米アンデス地方に古くから伝わる『ハチドリのひとしずく』という物語の主人公の名前だ。

その物語では、森が燃えているところから始まる。

他の動物たちが我先にと逃げるなか、一番小さなハチドリのクリキンディだけは行ったり来たり。

くちばしで水のしずくを一滴ずつ運んでは火のなかに落としていくのだ。

動物たちがそれを見て、

「そんなことをして一体何になるんだ」

と言って笑うのである。

しかし、クリキンディはそんな動物たちに向かってこう言う。

「私は、私にできることをしているだけ」

僕が、そんなクリキンディのようだと言われ、とても嬉しくなった。

一人で淡々と自分にできることをしていると、同じように淡々と自分にできることを続け、水を運んできた人たちと繋がることができた。

同じように淡々と自分にできることを始め、一緒に水を運ぶ人が出てきてくれた。

この人たちとなら、森の火を消し止めるか、せめて次の世代が消し止めることができるほどの大きさに抑えておくことができる。

最近ではもう、そんなふうに希望に満ち溢れた未来しか想像できなくなった。

「一人で持ち上げる気のない岩は、二人でも持ち上がらない」

自分だけでは変えられないが、自分からしか変えられないこともまた間違いない事実だ。

これからも、自分にできることを淡々と続けていこうと決意している。

小さく見えようとも、人から見えなくても、地道に。

偉人と呼ばれる人たちは、大きく見えたり目立ったりすることを

やった人なのではなく、
小さく見えることや、人から見えないことを、ただただ地道に続けた人なのだと思う。

醜いのは世界のほう。

おかしいのはあなたではなく、同調圧力のほう

『ワンダー 君は太陽』という映画をご覧になったことはあるだろうか。

この映画に登場する主人公の男の子は、遺伝子疾患で、顔が歪んでしまい、周りの子どもたちとは異なった顔だちをしている。

その障がいが原因で入院していた彼は、5年生から学校に行き始めるのだ。

初めての学校で彼を待ち受けていたのは、偏見や差別など、いわゆる「いじめ」。

打ちひしがれた彼は、お父さんにたずねる。

「お父さん、僕は醜い?」

お父さんはこう答える。

「いいや、醜いのは世界のほうさ」

そして、家族の深い愛情に支えられながら、彼は勇気を振り絞り、次々に学校で行動を開始する。

そんな彼の姿を見て、一人、また一人と仲間が増え、彼の学校生活は輝き始める。彼の勇気と行動は、周りの人たちの価値観すらも変えてしまうのだ。

「人間の内面の価値には外見で推し量れないものがある」と。

人の内面の美しさがもし目に見えるようになるなら、美しい人の基準は変わるだろう。

以前、子ども向けのお話会の質問タイムで、小学生の男の子からこんな質問をもらった。

「僕はひねくれているんですが、そんな僕でも『あなたはあなたのままでいい』と谷口さんは思いますか？」


僕は気になったので聞き返した。

「どうして自分のことをひねくれていると思うの？」


彼は答えてくれた。

「自分がおかしいと思ったら、人の言うことを聞けないことがあるからです」


ひねくれているどころか、こんなに素直な人がいるだろうか。

ひねくれているのは、彼のほうか、彼のような人に、自分はひねくれていると思わせてしまう世界のほうか。

僕も、自分がおかしいと思ったら、絶対に従わない子どもだった。「ちゃんと言うことを聞く子は偉い」みたいな価値観も理解ができなかった。

また、倫理的な理由や、ルールならともかくだ。「どうしてあなただけできないの？」といった発言に表れているような、「人と違うだけで怒られる理由になる」ということが理解不能だった。

ドイツの教育は、「たった一人でも反対できる人を育てる」ことを目標にしているそうだ。

確かに協調性は大切だと思う。

だけど、自分の心がおかしいと叫んでいることにまで、黙従するのは、僕は違うと思う。

それが、今の社会のこの同調圧力が蔓延する状況を作り出していると思う。

沈黙は容認。

あなたの人生はあなたのものだから、自分の心に正直に。

他人の人生なんかではなく、自分の人生を生きて、
それでも一緒にいてくれる人たちと笑い合えるなら、
それほど素晴らしい生き方はない。

大丈夫。あなたはあなたのままでいい。

インドの教え

「あなたも人に迷惑かけて
生きているから
迷惑をかけられても
許してあげなさい」

インドでは、人に迷惑をかけてもいい

「人に迷惑をかけてはいけない」
日本で育った人なら、子どもの時から繰り返しこんなことを言われ続けて、育ったかもしれない。

一方で、インドではこう教わると聞いたことがある。

「あなたも人に迷惑かけて生きているから迷惑をかけられても許してあげなさい」

もちろん、「人に迷惑をかけていい」だなんて言わない。しかし、バランスが大事なんじゃないかと思っている。

というのも、あまりにも「人に迷惑をかけてはいけない」という価値観ばかりが横行すると、「人を許すこと」ができなくなるから。
自分に厳しく、他人にも厳しく。そうしていった結果、出来上がるのは何も許さない空気だ。

許すことでしか変えられないこともある。
人間は失敗する生き物。
人間は誰しも完ぺきにはなれない生き物。
僕は最近やっと、人を許せるようになった。

「自分も同じようなことをしてしまう時もあるし、完ぺきじゃない」
「相手の立場に立って考える」

「自分が逆だったら、許してほしい」
「自分で自分のことを責めただろうから、もう責められなくていいんじゃないか」
こういうふうに考えられるようになった。

また、「許さない」という感情が真っ先に焼き尽くすものは、自分の心。

許すことができるようになって初めて、自分の心がおだやかになったように感じる。許すことから始まるものもある。

あらためて言うけれど、ここに書いた日本の教えも、インドの教えも、どちらが良い悪いではない。

何においてもそうだけど、偏りすぎないこと、つまりバランスが大事なのだ。

だからもし自分が今、「人に迷惑をかけてはいけない」ということに偏りすぎていると感じるなら……

ぜひインドの教え、

「あなたも人に迷惑かけて生きているから迷惑をかけられても許してあげなさい」を思い出してほしい。

CHAPTER

2

MONEY

自分が雇用主から
不当な扱いを受けた時には、
断固として従ってはいけない。
それはあなただけではなく、
あなたの後ろにいる
全ての労働者を
守ることになるから。

ヨーロッパでは週休3日以上の国が多発中！

ベルギーでは2022年半ばに、労働者に週休3日制が認められた。

労働者が希望すれば、同じ給与で週休3日取れるようになった。

「ストレスなどの問題に対応しながら、生産的で持続可能な経済を目指す」と首相は述べている。

なお、合計の労働時間を変えずに週休3日取る形にするため、希望する場合は1日10時間まで働けることになる（現在は8時間まで）。

また、ある週に多く働く代わりに、他の週の労働時間を少なくするなど、できるだけ労働者が柔軟な働き方を実現できるようにしていく方針だ。

雇用主はこれを認めない場合、その理由を書面で説明することが義務づけられるという。

ベルギーはまた、従業員に以下の権利を持たせるという。

「勤務時間外は上司のメッセージに反応しなくていい」

ベルギーは2021年末に71・4%だった就業率を、2030年には80%に引き上げることを目指している。

では、他の国々の近年の働き方改革に関する動きはどうだろうか。

・**アイスランド**

２０１５年から試験的に週休３日制を導入。

結果は「圧倒的な成功」だったと評価されている。

・**スペイン**

給与はそのままで週休４日にする計画を発表。

・**スコットランド**

給与はそのままで週休３日にする計画を発表。

・**アメリカ**

「各国の政府や企業の取り組みで、病欠の減少が確認されたほか、従業員の士気向上、育児費の削減がみられた」として、

２０２１年、標準労働時間を週40時間から32時間に短縮する法案

が提出された。

・イギリス

オックスフォード大学の研究機関が協力する団体の試験的な取り組みに各国政府に加え、多国籍企業など数十の企業が参加し、現在2000人の労働者が給与はそのままで週休3日制で働いている。

さて、僕がこのトピックで触れたいのは、「だから日本人はもっと休んだほうがいい」ということではない。

伝えたいのは、これらの「結果」は、ある日突然得られたものではないということだ。

もっと言えば、その国の労働者の人たちがこれまでに行ってきた、投票や主張といった、不断の努力によって勝ち取った部分が大きいと言えるのだ。

自分がフィンランドにいた時に、フィンランドの人に言われた言葉が今でも強烈に頭に残っている。

「自分が雇用主から不当な扱いを受けた時には、断固として従ってはいけません。

それはあなただけではなく、あなたの後ろにいる全ての労働者を守ることになるからです」

モノが増えると、
時間は減るし、
お金は減るし、
ストレスは増える。

世界初！　フランスが売れ残った衣類の廃棄を法律で禁止

ファッションブランドの売れ残りの廃棄は社会問題化している。国連によると、現在起きている気候変動において、世界の温室効果ガス排出量の10％が繊維産業だという。

そんななか、世界初の試みとして、フランスが売れ残った新品の衣類を企業が焼却や埋め立てによって廃棄することを禁止した。

フランスでは2020年から、循環経済に関する法律が定められているのだが、食品以外で廃棄を規制する法律は世界で初めてだという。

さて、ファッション業界では衣料に使われる原材料のコットンは

中国で作られ、
縫い合わせる作業はバングラデシュで行い、
販売する場所は日本やアメリカ、
といった具合に、原材料の調達から消費されるまでの期間がとても長いという特徴がある。

「期間が長い」ということは、それだけエネルギーも大量に消費することを意味し、温室効果ガス排出量は航空業界と海運業界を合わせた値以上だそうだ。

またファッション業界はその他の資源も大量に消費する。
例えば、デニムを1本作るのに必要な水の量は約1万リットル。
現在世界で水不足に苦しむ人が増えているが、1万リットルの水があれば、一人の人が10年間助かる計算となる。

世界の真水はなんと、その20%がファッション業界だけで消費されているというのだ。

さらにコットンは、他のどの作物よりも農薬に頼っており、我々の多くは、約１００グラムの農薬が使用されたTシャツを着ていることになるのだとか。

ナイロンやポリエステルなど合成繊維を作る時には「亜酸化窒素」が出るのだが、その温室効果はCO_2（二酸化炭素）の約３００倍。

こうして数値化してみると、なんともまあ、ファッション業界の惨憺たる現状が浮き彫りになるわけだが、これだけでこの話は終わらない。

そうやって作られている衣類のうち、そのほとんど（85％）は使用可能であるにもかかわらず、エネルギーを使って焼却したり、埋め立てたり、海に流したりしているのだから。

それによって、海の生き物を窒息させて死なせていることも現実問題として起こっている。

そう考えると、「ファッション」は、僕たちが地球を守るために個人で改善できることが盛りだくさんであり、伸びしろしかない分野なのだ。

・むやみやたらに買い物をしない
・捨てる前にリメイクしてみる
・リサイクル品や、長く着れるものを買う

・セカンドハンド（中古品）を買う
・人にゆずる（もらう）
・寄付する
・布を枕カバーやタオルにする

僕は、もう4年間以上世界のどこにも家を持たずに、世界各地を転々とする生活をしているが、所有物はリュックひとつだけ。そのなかに入った衣類は3日分のみだ（冬用にコートとマフラーだけは母の家に置いてもらっているが）。

この話の流れでこう言うと、環境のためにそうしていると思われるかもしれない。
だが、本来の目的は実は全然違う。

僕の一番大切なものは、命だ。
命は時間で、できている。
そして、モノが増えると、時間は減るし、お金は減るし、ストレスは増える。

物欲が強い人がいるが、その多くは、精神的に満たされていない部分を、モノを買うことで満たそうとしているだけに見える。

人間は寝不足の日は、睡眠欲の満たされなさを食欲で埋めようとするため、暴飲暴食しがちだ。
物欲の異常な強さも同じで、心が満たされていないことを埋め合わせようとしている場合が多いのである。

だったら僕は、物欲を満たすためにお金と時間を使いたくはない。お金と時間は自分の心を満たすために使いたいのだ。
そういう意味で、僕は僕の心を満たすためにリュックひとつで十分なのである。

土日の家族との時間を
犠牲にしてまでお金を稼いで、
いつ何のために
そのお金を使うの？

土日のドイツではほとんどの店がお休みする

ドイツに移住してビックリしたことのひとつは、土日はとにかくお店が開いてないこと。

全くのゼロというわけでもないが、本当にビックリするくらい開店しているお店が少ない。

だから金曜日の夕方には、週末に備えた買いだめの行列がスーパーにできる。

僕は曜日感覚があまりないから、よく金曜日に買いだめを忘れては、ひもじい週末を送っていた。

当時僕はドイツで会社を経営していた。そんなことからよくドイツの人たちにこう尋ねていた。

「土日はどこの店も開いてないんだから、土日に店を開けたらめちゃくちゃ儲かるんじゃやない!?」

そんな質問に対して返ってくるのは、いつもこんな答えだった。

「そりゃめちゃくちゃ儲かるかもしれない。だけど、土日の家族との時間を犠牲にしてまでお金を稼いで、いつ何のためにそのお金を使うの？」

ハッとさせられた。

そして、何も言い返せなかった。

他のアジアの国々でも、ヨーロッパの国々でも、ドイツと同じような答えが返ってきた。

つまり、「お金」よりも「家族」のほうが大事に決まっている、ということだ。

逆に、(主観だけど)「稼げるなら」と、時には遅くまでだろうが、土日だろうが、関係なしに働く人は、日本とアメリカに多いように感じる。

また日本では、「億万長者になりたい」というより、「お金がないととにかく不安だから働きまくる」という人が多いのではないだろうか。

もちろん、どちらが良い悪いとかではない。

ただ、その儲けたお金で、例えば寿命が延びると言うなら話は別かもしれないけど、人が作った紙にそんな力はない。

そうなのであれば、「大切な人と過ごす時間」や、「取り戻せない若さや健康」を犠牲にしてまでお金を稼ぐことにどれほどの意味があるのだろうか。

いくら稼いで、通帳の数字や、目の前の札束や高級品ににやにやしたところで、急な事故や病気で死んだ途端、それらには何の意味もなくなる。

そう考えたら、経験や大切な人の笑顔のために、今すぐそのお金を使ったほうがいいと思う。

少なくとも、僕はそうするように心がけている。

0か100かとか、要るか要らないとかではなく、「優先順位」の問題。

お金よりも大切なものはたくさんあるが、その全てにお金がかか

る。

だけど、お金を「あなたの一番」にしてしまったら、あなたはお金よりも大切なものを失うことになるのだ。

「泣いたら願いが叶う」
そんな経験をした子どもは
味をしめて、
自分の思い通りにならなければ
泣き続けるだろう。

ヨーロッパの子どもは駄々をこねない

以前、バスのなかで、小さな子どもが大声で泣いていた。
すると突然、ある中年の男性がその子どもの親らしい人に怒鳴りつけた。

「おい！　うるさいぞ！
子どもを静かにさせるのは親の仕事だろ!!」

それを聞いていた、別の小学生くらいの男の子が言ったのだ。
「あのおじさんは泣かないで大きくなったのかな？」

「よくぞ言った！」と思った（笑）。

そこで僕は、中年男性にも聞こえるような大きな声でこう言ったのだ。

「子どもを静かにさせるのが親の仕事なら、あのおじさんのご両親に連絡して静かにさせてもらわないと」

そのおじさんはたちまち静かになった。

……さて、そんなことはさておき、ヨーロッパの友人が日本を訪れた時に、「ヨーロッパの子どもは、日本の子どもに比べると公共の場で駄々をこねて泣くことが少ないような気がする」と言っていた（もちろん子どもは泣くもの、というのは世界共通だと思うが、ある一定の年齢を超えた子どもに関して、という意味で）。

それは一体なぜなのだろうか。

その理由は、

「子どもが泣いているからといって、大人が子どもの要求を呑んだりしないから」。これに尽きると思っている。

「泣いたら願いが叶う」

そんな経験をした子どもは味をしめて、自分の思い通りにならなければ泣き続けるだろう。

ひょっとしたら、こうして育った人は、大人になっても、自分の思い通りにならないと、怒ったり、スネたりするかもしれない。

反対に、泣いても要求が呑まれなかったり、公共の場でうるさくするのは迷惑と冷静に教えられたりしたら、

少なくとも、「自分の要求を呑んでもらうために泣く」ということはなくなるだろう。

だけどこれは、日本の親が甘やかしすぎだと言いたいわけではない。

冒頭に書いた通り、日本では、公共の場で子どもが泣いていると、その親に冷たい視線が注がれたり、心無い言葉が浴びせられたりということがよくあると思う。

そうなれば、親は一刻も早く子どもを泣き止ませることに必死にならざるを得なくなるだろう。

こうして、泣いている子どもの要求にすぐさま応えてしまう状況が生まれるのだ。

そう考えると、公共の場で子どもたちが駄々をこねているのは、社会全体の問題だと言えないだろうか。

ヨーロッパでは、子どもが泣いていると、その親に対して、

「大変ねぇ。私の子どももこれくらいの時は大変だったわ」といった言葉がかけられていることがほとんどだった。

僕は、子どもたちが公共の場で泣いていても、温かい目で見守る大人でいたいと思う。

自分も泣いて大きくなったんだから。

「大学では、
大学に行きたくても
行けなかった人のために
学びなさい」

あまり知られていない「少年よ大志を抱け」の全文

講演会で学校を回っていて感じるのは、もう中学生ぐらいから、「お金」のことで頭がいっぱいになってしまっている人が少なくないということ。

欲しいものを聞くと「お金」と答える生徒がいたり、「お金にならないことは一切したくない」と言っている生徒がいたり、

将来どうなりたいかを聞くと「お金持ち」と答える生徒がいたり、人を判断する基準を聞くと「年収」と答える生徒がいたり、

「お金をたくさんもらえる会社に入りたくて、

そのためにはそういう年収の高い会社に入りやすい大学に入る必

要があって、

そのためにはそういう大学に入りやすい高校に入る必要があって」という目的のためだけに、「今」という時間を全て詰め込みの勉強に使っている生徒がいたり……。

その人の人生なので、勝手なことを思うのは僕のエゴなのかもしれない。

だけど、どこか寂しさを感じずにはいられないのだ。

そもそもこの「拝金主義」とも言える感性は、大人の影響が大きいのだろう。

先日訪れた学校では、先生が、

「勉強しないとコンビニで働くはめになるぞ」と言っていて、

あまりの失礼な物言いに耳を疑った。

他にも、「人はみんな富や地位や名声を求めるし、それを持っている人を尊敬する。だから、谷口さんも影響力を持って問題を解決したいなら、大きな会社の社長さんになったほうがいいと思います」という声も、もらったことがある。

「環境活動みたいな得体のしれないことをやっていると、食べていけないでしょう」という声すら毎日届く状況だ。

しかし、こういった状況は同時に、希望でもあると思っている。

空気や価値観は変えることができるからだ。

僕のような全国を講演して回る活動をやっている人たちが、とても自由で、人が周りにたくさんいて、楽しんでいて、カッコいい。その前例を、その空気や価値観を、僕が作ってしまえばいいわけだ。簡単ではないかもしれないが、とてもやりがいがあってワクワクしている。

実際に、話を聞いてくれた学生たちから、

「夢が環境活動家になった」

「夢が人に伝えられる人になった」

「口だけの大人にはなりたくないと思った」

「お金に対する考え方が変わった」

「環境について学びたくなって、憧れの大学の環境を学べる学部に合格できました」

「自分も全国を回ってお話をします」

そういった声を最近たくさんもらい、やりがいを感じる毎日だ。

このトピックスの最後に伝えたいことがひとつ。
クラーク博士の言葉として有名な「少年よ、大志を抱け」だが、
全文はあまり知られていない。

“Boys, be ambitious!
Be ambitious not for money or for selfish aggrandizement,
not for that evanescent thing which men call fame.
Be ambitious for the attainment of all that a man ought to be.”
(※諸説あります)

「少年よ大志を抱け。
それはお金や私欲のためにでなければ、
名声という儚いもののためにでもない。

人としてあるべき姿であろうとする大志を抱け」

この言葉を知ってか知らずか、尊敬する僕の父は常々言っていた。

「大学では、大学に行きたくても行けなかった人のために学びなさい」

お金は「手段」にはなっても「目的」にはなりえないと思う。
それがいくらであれ、お金で信念を曲げる行動をとってしまうようなら、「安い」と思う。
必要以上のお金を追いかけるのに使ったその時間の分だけ死に近づくと思う。

「お金は天国に持ってはいけない」と気がつくタイミングや、

「お金で買えるのは値札が付いているモノだけ」と気がつくタイミングは、
早ければ早いほどいいと思っている。

「何かあった時のため」と
多くの人はお金を貯め続けるが、
大半は使わずに死んでいる。

「安心」のための貯金が人を「不安」にする

65歳までに約5000万円以上を貯めた人は、その約90％を使わないまま死ぬという。

65歳までに約2000万円を貯めた人でも、その約75％を使わないまま死ぬという。


これは、『DIE WITH ZERO（ゼロで死ね）』という、各方面から絶賛される本で発表された研究結果だ。


「老後のため」

「何かあった時のため」

こう言って貯金を膨らませ続ける人がたくさんいる。

しかし例えば、65歳までに約5000万円を貯めたとして、90%は使わないなら、約4500万円。

現在の日本の平均年収は433万円で、手取りは342万円。4500万円貯めるには、10年以上かかる。

65歳までに約2000万円を貯めたとして、75%は使わないなら、約1500万円。その場合でも、数年かかる。

そのお金で、どれほどのことができただろう……。

そのお金を稼ぐために使った、一度きりしかない人生の貴重な時間で、なにができただろう……。

人の欲求には限りがなく、それは貯金も同じ。

0円の人は100万円を欲しがるけど、

1000万円貯めた人は2000万円を欲しがり、
1000万円貯めた人は2000万円を欲しがる。

また、人は「手に入れたい」という欲求より、
「手に入れたものを失いたくない」という欲求のほうが、圧倒的に
強い。

つまり、「安心」を買うはずだった貯金が、あなたをどんどん
「不安」にしていく。

「なんのために貯金をするのか」
「自分はどう生きるのか」
それを本気で考える時期が来ていると思う。

僕は貯金をしない。
貯金は天国には持っていけないし、
明日死ぬつもりで生きているから。

CHAPTER

3

EDUCATION

日本は「ペーパーテストの結果」で
成績の80%が決まるが、
ドイツは「授業中の発言」で
60%が決まる。

日本とドイツの成績評価のつけ方の違い

僕が日本で学生をしていた時、「成績」と言えば、筆記テストの点数が主だった。

それこそ、80〜100%ぐらいは、筆記テストの点数で成績評価が決まっていた。

そういう社会では、「正しいとされている答えを書こう」とする人が育まれるだろう。

そういう環境で、高校生までの時間を過ごした。

大学からは、イギリスに留学した。

その後は80ヵ国ぐらいを訪れ、直近はドイツに移住した。

一緒に活動しているドイツ人の女性に聞いて驚いたのは、ドイツ

では成績評価の60％は「授業中の発言」で決まるということだ。

つまり、
・授業中に、自分の意見を主張できたか
・他の人の意見を尊重できたか
この2つの点が成績を左右していたというのだ。

もちろん、そういう社会では、「自分の意見を主張し、人の意見を尊重しよう」とする人が育まれるだろう。

多様性が叫ばれるこの時代だ。
何が「白」で何が「黒」かなんて、状況や環境で簡単に変わってしまう。
そういう意味で、これまではともかく、これからの社会に適しているのは、日本とドイツ、どちらの成績のつけ方なのだろうか。また、選択肢があるとしたら、みなさんが選びたいのはどちらだろうか。

自分が今置かれている環境が全てだと思わず、色々な世界や価値観を知って、自分で選んでいく人がどんどん増えていくことを切に願っている。

選択肢の多さと、社会の豊かさは、比例すると思うから。

このままでは日本は、
ますます「ゼロリスク思考」に
突き進んでいくだろう。
そんなの、何も面白くないし、
そこにイノベーションはない。

海外の学校では鉛筆は使わない

海外では、小学生が鉛筆ではなく、ボールペンを使うという国も少なくない。

キングス・カレッジ・ロンドンで客員教授を務める、認知科学者のガイ・クラクストン氏はこう言った。

〝消しゴムは「悪魔の道具」だ。
消しゴムは「間違いは恥」の文化を作る。
間違いを受け入れたほうがいい。
実社会では、間違いは起きるのだから。〟

NAPE（全国初等教育協会）で広報担当を務めるジョン・コー

氏はその見解について、こう話している。

〝**消しゴムを完全に禁止というのは厳しすぎるかもしれない。ただ、時と場合によっては、消しゴムを使わないほうがいいこともある。**

例えば、算数の授業では、子どものプロセスを見ることが大切だ。子どもが「正しい答え」だけに固執しすぎるようにはなっては欲しくない。

どこでどう間違えたかを含め、どうやってその答えにたどり着いたかという、プロセスも知りたい。〟

実際、子どもがどこでどう間違えたかは、とても重要な学びの要素であり、教える側にとってもそれを知ることは、よりよい教育のために必要不可欠だという。

またクラクストン氏は、子どもに間違いを受け入れさせることは、間違いが許される実社会に適応するために重要だとも。

そういう意味で、消しゴムで消すことができないボールペンなのだ。

ちなみに、シェフィールド大学の児童心理学の専門家であるアントニー・ウィリアムス博士も、こう話している。

〝子どもにとって、自分の間違いを受け入れるということは、とても大きな成長の一歩です。

そしてそれは、大人も同じです。〟

「消しゴムひとつ（鉛筆1本）でそこまで……」

そう思われるかもしれないが、「一事が万事」という言葉があるのも揺るぎない事実。

何より、子どものことを考えて、大人が常識にとらわれず、常によりよい教育を検討している姿勢が本当に素晴らしいなと思う。

今の日本は、間違いや失敗に対して、厳しさが過ぎるように感じる。

たったひとつの失言やたったひとつのミスで、総叩きに合うのが今の世の中だから。

そんなことから、みんながリスクを怖れ、変化や新しい挑戦を、あからさまに嫌っているような気がする。

いわゆる波風のたたない無難な選択をし続けているのだ。

そんなことでは、ますます「何もしない」……いわゆる「ゼロリスク思考」にこの国は突き進んでいくだろう。

そんなの、何も面白くないし、そこにイノベーションはない。
だいたいの失敗や間違いは、笑ってゆるす。
そんな社会を作りたいし、そんな人間でありたいものだ。

もしあなたがお金を払わずに
サービスを利用できているなら、
それは彼らにとってあなたが
売り物だからだ。
これまでもずっとそうであったように。

スウェーデン式
SNS、たしなみの教科書

「おすすめの本」をよく聞かれるが、そんな時は「スウェーデンの小学校の社会科の教科書」と答えている。

本トピックでは、今、様々な業界で問題になっている「メディア」について、スウェーデンの小学校の教科書にどう書かれているかを抜粋したいと思う。

①今は誰でもニュースを流すことができます
②SNSで世界の人に影響を与えられます
③民主制の国では意見を言えます
④独裁制の国では意見を言えません
⑤「事実」と「価値観」の区別が大切です

⑥メディアは私たちの考えや行動、買うものにまで影響を与えています
⑦テレビなどのメディアは「あなたに何かを買わせようとする」広告によって存続しており、それはとてもうまくいっています
⑧今はうまく暮らしていくために、どこで情報を見つけるかを知り、その何が真実で、何が嘘かを評価できなければなりません

……現代社会を生き抜く上で、とても大切なことを小学生のうちから学んでいるなあと感心せざるを得ない。

以前に自身のSNSで、『一番のコロナ対策は「テレビを消すこと」』という記事を書いた。

すると、インスタグラムだけで14万人の人が見てくれた。

日本では、テレビでの発言を、例えそれがいかに偏っていようと鵜呑みにする人が多いように思う。

もし、自分もその一人かもしれないと心当たりがあるなら、海外で有名なこの言葉を贈りたい。

"If you do not pay for a service, you are the product they sell. So it ever has been."

(もしあなたがお金を払わずにサービスを利用できているなら、それは彼らにとってあなたが売り物だからだ。これまでもずっとそうであったように。)

スウェーデンでは、小学生の頃から「テレビなどのメディアはビジネスであり、それはとてもうまくいっている」と教わるようだ。

スウェーデンはいち早く新型コロナウイルスの感染症対策を緩和

した国として有名になったことは記憶に新しい。

これは、教育の違いも大きかったのかもしれない。情報に踊らされることなく、自分たちで信じた未来を選んだのだから。

また、日本ではＳＮＳの危険な側面ばかりを教えられることが多いが、スウェーデンでは「自分がメディアとなり、世界に影響を与えるツール」という側面も教えられている。

そして、民主制の国と独裁制の国における発信の自由の違いや、Ｐ58でご紹介した、「事実（知ること）」と「価値観（思うこと）」の違いなどについても教わるのだとか。

基本的に、道具は使い方次第で、毒にも薬にも変わるというのが、僕の意見だ。

例えば、包丁だって、料理に使えば誰かを幸せにすることができるが、一方で人に向ければ、凶器になってしまうから。

ＳＮＳやメディアだってそれは同じ。

毒にしてしまうのか、薬にできるか。

それはあなた次第である。

いじめられた側は
人生を棒に振るほどの
ダメージを受けるのに、
いじめた側は
のうのうと生きていく。

フランスでは いじめた人は罰せられる

あるタレントさんが自死したというニュースを見た。

自殺の理由として考えられることのひとつとして、「誹謗中傷」が挙げられていた。

この国では、誰かが叩かれていると、まるで叩かれている人が悪いかのように扱われる。

「叩かれている人」にばかりスポットライトが当てられる。


だけど、「叩いている人」にスポットライトを当ててみてほしい。


ほぼ全ての場合、ロクでもない。

名前も顔も出してないのなんて当たり前。言葉遣いも、タメ口なんて当たり前で、「し〇」みたいなことも平気で言う。

また、リアルな世界でなら、日本では初対面で敬語を使うのが当たり前なのに、ネット上ではそんなしきたりは無視だ。自分の姿が見えない暗闇から石を投げている感覚なのだろう。正直、ダサさの極みだ。

ちなみに僕にも毎日のように誹謗中傷のコメントが来る。最近、「なんか嫌なことでもあったんですか?」と返答したら、即ブロックされた。

自分でも恥ずべきことをしている自覚があるんだろう。

2022年、フランスでは「いじめ」について厳罰化する法案が通った。中学生だろうが高校生だろうが、いわゆる「いじめ」を行った人には罰が科せられるという。

最大で、禁錮10年、罰金2000万円以上。

いじめられた側が不登校になったとか、自殺してしまったとか、その状況によって、罰則は変わる。

賛否両論あるだろうけど、僕はこんなふうに厳罰化することには賛成だ。


「いじめ」は、いじめられた側は人生を棒に振るほどのダメージを受けるのに、いじめた側はのうのうと生きていく。

そして日本ではまだ、「いじめられる側にも問題がある」というようなことも言われている。フザけるなと言いたい。

いじめが正当化される理由などあるわけがない。

あなたの大切な人がいじめられた側だったら、同じことが言えるだろうか。

そろそろ、「誹謗中傷している側にスポットライトを当てる」文化に変えていくべきだ。

医療崩壊は感染症によっては
起こらなかった。
代わりに今、子どもの精神病による
医療崩壊が起きている。

感染症対策が世界の子どもたちにもたらした悲惨な結果

ヨーロッパ最大手の新聞社（Bild）が、感染症対策で子どもを犠牲にしたことに対して謝罪をした。

その内容は以下の通り。


調査の結果、子どもたちに課した感染症対策がいかに悲惨な結果をもたらしたかが分かった。

ハッキリ言いたい。

政府は、教育の機会をあなたたちから奪った。

その政府は、私たち大人が選んだ政府だ。

そしてその政府を止めるということも、充分にはしなかった。

大人全体の恥だ。

感染症対策が始まった2020年。

152人の14歳未満の子どもたちが虐待によって死亡した。

ロックダウンによって隔離された孤独な空間で、誰の助けも得られないまま命を落としていったのだ。

外に出ることがなかったので、アザやキズが誰かから気づかれることもなかった。


教育の機会は奪いながら、居酒屋は大賑わいだった。

スウェーデンは一度も学校を閉鎖していない。

スウェーデンの大人は子どもへの責任を果たしたのだ。

私たちは果たしたとは言えない。


子どもたちは、友だちと会おうものなら、自分のおばあちゃんを殺すかも知れないぞと言われ続けた。

子どもに対策させることがとても都合が良かったのだ。

子どもは文句を言えないし、投票権もないのだから。


週に5回、部活動でエネルギーを発散していた10代の子どもがそれを突然やめさせられたらどうなるか想像してみてほしい。

10代のエネルギーや怒り、憂鬱は全て内側に向かい、精神に深い損傷を負ったということに私たち大人は気づくべきだ。

子どもの権利を奪うのであれば、それほどの危機であると証明されなければいけないが、それがなされたことはない。

子どもが感染拡大の原因だと利用され、異論を唱える人たちは専門家会議に入れてもらえなかった。


医療崩壊は感染症によっては起こらなかった。

代わりに今、子どもの精神病による医療崩壊が起きている。
そして、この豊かな国のなかで最も貧しい子どもたちが、
食べ物や助けを求めて毎日行っていた施設は、今や2週間に一度
しか行けなくなった。

私が訪れた施設の9歳の子どもは、2時間UNOで一緒に遊んで
あげただけで私にこう言った。
「愛している。あなたは私のベストフレンドです」
それほど、子どもたちは孤独を感じている。

最も小さく、最も弱い存在に私たちがしたことをなおしていきた
い。
今そうしなければ、子どもたちの心はコナゴナになり、私たちが
したことは歴史に刻まれるだろう。

日本でも、大人たちは居酒屋で騒ぎ始めても、学校給食は黙食が続いた。オリンピックは開催されても、子どもの一生に一度しかない行事は軒並み中止された。不公平ではないだろうか。

大切なのは、二度と同じ過ちを繰り返さないことだ。

だからこそ、何度も何度もこれらの謝罪文を読み、たくさんの大人たちに胸に刻んでもらえたらと思う。

少しだけ今より
良い気持ちになりたいなら、
少しだけ今より
自己肯定感を上げたいなら、
落ちているゴミを拾うこと。

郵 便 は が き

料金受取人払郵便

新宿北局承認

9158

差出有効期間
2025年 8 月
31日まで
切手を貼らずに
お出しください。

169-8790

174

東京都新宿区
北新宿2-21-1
新宿フロントタワー29F

サンマーク出版愛読者係行

ご 住 所	〒 都道府県	
フリガナ		☎
お 名 前		(　　　)
電子メールアドレス		

ご記入されたご住所、お名前、メールアドレスなどは企画の参考、企画用アンケートの依頼、および商品情報の案内の目的にのみ使用するもので、他の目的では使用いたしません。
尚、下記をご希望の方には無料で郵送いたしますので、□欄に✓印を記入し投函して下さい。
□サンマーク出版発行図書目録

1 お買い求めいただいた本の名。

2 本書をお読みになった感想。

3 お買い求めになった書店名。

市・区・郡　　　　　　　町・村　　　　　　　書店

4 本書をお買い求めになった動機は?

・書店で見て　　　　・人にすすめられて
・新聞広告を見て(朝日・読売・毎日・日経・その他=　　　　)
・雑誌広告を見て(掲載誌=　　　　)
・その他(　　　　)

ご購読ありがとうございます。今後の出版物の参考とさせていただきますので、上記のアンケートにお答えください。**抽選で毎月10名の方に図書カード(1000円分)をお送りします。**なお、ご記入いただいた個人情報以外のデータは編集資料の他、広告に使用させていただく場合がございます。

5 下記、ご記入お願いします。

ご職業	1 会社員(業種　　) 2 自営業(業種　　) 3 公務員(職種　　) 4 学生(中・高・高専・大・専門・院) 5 主婦　　6 その他(　　)		
性別	男・女	年齢	歳

ホームページ　http://www.sunmark.co.jp　ご協力ありがとうございました。

学校で子どもが掃除をする国は日本以外にほとんどない

2022年にカタールで開催されたFIFAワールドカップ。

そう、サッカーのワールドカップだ。

世界中が注目する大会において、歴史的勝利を収め、日本中が絶叫したドイツ戦後のこと。

日本のサポーターたちは、スタジアムのゴミ拾いを自発的に始めたのだとか。

勝利に酔いしれ、その興奮のままにでも夜通しのお祝いに繰り出してもおかしくない。

しかし、日本のサポーターたちは、勝利した日本の選手たちがピッチを去るのを見送った後、すぐにスタジアムに散乱している食べ物や飲み物のゴミ拾いを開始したのだという。

ＢＢＣ（英国放送協会）はその動画を公式のツイッター（現Ｘ）アカウントに投稿し、「日本のファンたちの品位ある振る舞い」と讃えた。

実は、そのカタール大会から４年遡ったロシア大会で、あの日本がベルギーに惜敗した後にも、同じことが行われたという。

そして、日本が出てもいない試合の後でさえ。

日本が勝とうが、負けようが、出ていなかろうが、一貫したその姿勢は、なんと観客席にとどまらない。

FIFAは、ドイツ戦で日本代表が使用した更衣室の写真をツイッター（現X）に投稿した。

その写真が語ったのは、試合後の選手やスタッフたちが、ゴミひとつない状態で更衣室を後にしたこと。

そして、「Domo Arigato（どうもありがとう）」という文字も。

大阪大学の社会学者のスコット・ノース教授によると、日本人にとっての片付けや整理整頓は、「自分たちの生き方をいかに誇らしく思っているかを示す方法」なのだという。

「世界中から計り知れないほどの尊敬を集めている」

「私たちも彼らのように、他人を思いやって行動してみよう」

事実、海外のサポーターのなかにも、同じようにゴミを拾う人が出てきたのだとか。

色々な国を回っていて思うのは、もちろん完ぺきではないにしろ、日本ほどキレイな国はあまりない。

ポイ捨てに罰金があることで有名なシンガポールもそれほどキレイだとは感じなかったし、
ドイツはペットボトルを返すとお金がもらえるのでそのゴミはないが、タバコのポイ捨てはスゴい。

そういえば、学校で掃除を子どもが行う国は少ないという欧米では、スタッフの人が行う国がほとんどだという。

日本では、自分たちの使っている場所なのだからと、当たり前のように学校を掃除するが、これは非常に素晴らしい習慣なのではないかと思うようになった。

世界中を回る僕にとって、日本人の「掃除」に対する感覚は素直に誇りである。

ドイツの教育では、
自分たった一人だとしても
反対できる人間を育てる。

ドイツで好まれる人材は、たった一人でも反対できる人間

ドイツに住んでいた頃、教育に関心があり、ヨーロッパ各地の教育機関を訪ねた。

その時に聞いた言葉で、耳から離れない言葉がある。これは先述もしているが、

「自分たった一人だとしても反対できる人間を育てる。ドイツの教育ではそれを目指している」

というもの。

第二次世界大戦の過ちから学び、悲劇が繰り返されないために、社会が暴走しかけたその時には歯止めをかけられる、そんな世界を目指しているのだとか。

ドイツ人の友人にも、このことについて聞いてみたら、こう返ってきた。

「それが明確にどこかに書かれているわけではないですが、そのように感じています。

もし反対意見を持つのが、自分たった一人だけだったとしても、それを声に出すことが歓迎されます。

そして学校でも、政治や倫理に関する話し合いがたくさんなされます。

戦争の歴史や、ドイツが犯した過ちなども、13歳から、5〜6年にわたって話し合いを行います。

それは歴史の授業だけに限らず、国語や英語といった様々な科目のなかで、です。

表現の自由や民主主義は、私たちの教育の根本にあるものです」

心のなかでは「おかしい」と思いながら、勇気が出せずにその意見に従ってしまうと、社会の暴走は加速していくだろう。
そして、放っておくとそれはやがて止めることのできないスピードに達してしまう。

もしも今、この国で生きづらいと感じているなら。
そして、この国の何かを変えたいと思うなら。
今がつまり、声を上げる時なのだ。
この本で何度も言っているように、沈黙は容認と同じだから。

では、声を上げるためにできることって一体、なんだろうか？

「現状」を「こうなれば」に近づけるために、「自分」は何をするのか。
「同調圧力」のせいにすることも、
人のせいにすることも、
人任せにすることも、
容易い。

だけどそれでは何も変わらない。
「あなた」はどうするのか。
それ以上でも、それ以下でもない。

SNSで声を上げるのも良し。
身近な人の力になるのも良し。
それこそ、友人たちを集めて、不平不満を並べるのではなく、

現象が一変する「量子力学的」パラレルワールドの法則

村松大輔 著

「周波数帯」が変われば、現れる「人・物・事」が変わる。これまでSFだけの話だと思われていた並行世界(パラレルワールド)は実は「すぐそこ」にあり、いつでも繋がれる!理論と実践法を説くこれまでにない一冊!

定価= 1540円(10%税込) 978-4-7631-4007-4

生き方

稲盛和夫 著

大きな夢をかなえ、たしかな人生を歩むために一番大切なのは、人間として正しい生き方をすること。二つの世界的大企業・京セラとKDDIを創業した当代随一の経営者がすべての人に贈る、渾身の人生哲学!

定価= 1870円(10%税込) 978-4-7631-9543-2

100年足腰

巽 一郎 著

世界が注目するひざのスーパードクターが1万人の足腰を見てわかった死ぬまで歩けるからだの使い方。手術しかないとあきらめた患者の多くを切らずに治した!
テレビ、YouTubeでも話題!10万部突破!

定価= 1430円(10%税込) 978-4-7631-3796-8

子ストアほかで購読できます。

「何ができるか」討論することだって良いかもしれない。
とにかく、動かないと現状は変わらないし、変わるわけがないのだ。

「平和」と「幸せ」は
よく似ている。
どちらも失ってみて初めて、
その重さが分かる。

海外の人が新婚旅行先に「ヒロシマ」を選ぶ理由

「胎内被ばく」という言葉を知っているだろうか。

これは、母親のお腹のなかにいる時に、被ばくすることなどを指す。

その胎内被ばくをした男性に、僕が企画したツアーでお話を聞かせてもらったことがある。

色々衝撃的なお話を聞かせていただいたが、そのなかでも、僕にとって一番印象的だったのは次の話。

「ヒロシマを訪ねてくる外国人のなかには、新婚旅行の人もいます。

なぜ新婚旅行先にヒロシマを選んだのかと聞くと、彼らはこう答えます。

『これから生まれてくる私たちの子どもに、ここで起きたことを伝える必要があるじゃないか』と」

日本で200校を超える学校講演を行ってみて、驚いたことがある。

それは、「福島原発事故」のことを、すでに知らない子どもがたくさんいるということ。

ヨーロッパと日本の教育について話していると、「一番の違いは?」とよく聞かれる。

多分、義務教育、つまり学校での教育における違いを知りたいのだと思うが、**僕が正直、最も違うなと感じるのは、「親（大人）の意識」の差だ。**

イギリスやドイツで出会った大人たちには、**「教育は、家庭で親が子どもに行うものが主で、学校は補助」**と考える人が多かったように思う。

対して、日本の大人たちを見ていると、教育の主は学校にあると考える人が多いように感じる。

僕は自分が親になったら、自分の子どもの教育の主導権は絶対に他の人に握らせたくないし、
大人になる前に知っておくべきことは親自身が伝えたい。

僕たち大人が、子どもたちに伝えていくべきではないだろうか。

次の世代が判断を行うための材料となる事実を。

次の世代が判断をした結果の責任は、次の世代がとることになるが、

その判断の材料となる、これまでに起きたことを次の世代に伝える責任は今の世代にあると思うのだ。

最後にこれだけは伝えておきたい。

「平和」と「幸せ」はよく似ている。どちらも失ってみて初めて、その重さが分かる、という点において。

CHAPTER

4

FOOD

健康も環境も時間も、大切なのは「足し算」より「引き算」。

僕が身体に入れるのを避けている4つの食材

健康も環境も時間も、大切なのは「足し算」より「引き算」だ。

だからこそ、「何を自分の身体に入れるか」よりも、「何を自分の身体に入れないか」を僕は徹底するようにしている。

なお、僕が自分の身体に入れるのを避けているものは、大きく次の4つ。

①肉
②乳製品
③小麦（外国産）
④白砂糖

今回はそのうちの「小麦」について書けたらと思う。

日本で消費されている小麦のうち、日本で作られているものは実はとても少ない。

80%以上は、アメリカなどの海外からの輸入品である。

僕が身体に取り入れることについて懸念しているのは、その外国産の小麦が作られる工程で使用される除草剤に含まれる「グリホサート」という成分だ。

「グリホサートのせいでガンになった」という訴訟が起き、裁判所は訴えを認め、その薬を作っている農薬大手の会社に支払いを命じた。

その後訴訟は相次ぎ、なんと「10万件」を超え、その会社は「1

兆円以上」を支払うとしている。

世界各国で問題になり、販売中止や使用禁止などが相次いでいるなか、日本はなんと逆行しているのだ。**日本は2017年にグリホサートの残留農薬基準を厳しくするどころか、むしろ緩くした。**

農民連の調べによるとだ。

日本の学校給食のパンを検査したところ、国産小麦100%を使用していた2つの学校給食のパンを除いて、検査を行った全ての学校給食のパンから「グリホサート」が検出されたそうだ。

僕が外国産の小麦を自分の身体に入れるのを避けているのは、こういった理由から。

先に書いた通り、「国産」と書かれていない限り、日本で消費されている小麦のほとんどは外国産だ。

「グリホサート」は、国連の関連機関においてもその発ガン性が懸念されている。

しかしその一方、安全だとしている機関などもあるのだが、個人的には、これまでの流れを見ていて、自分の身体に入れたいものでもないなあというのが率直な意見だ。

自分の身体に入れるものは、よく調べ、学び、考えて、判断しよう。

You are what you eat.

（あなたは食べたものでできている。）

健康は、失って初めてそのありがたみに気づくから。

生きるということは、
呼吸することではなく、
行動すること。
愛するということは、
思慕することではなく、
行動すること。

アメリカに食革命を起こした一人の母親

「アメリカを変えたママ」として知られる、ゼン・ハニーカットさんをご存じだろうか？

オンライン上ではあるものの、この人との出逢いは僕の人生に多大なる影響を与えてくれた。

ゼンさんには3人の子どもがいた。

しかし、そんな彼女の子どもたちには、「アレルギー」や「自閉症」などの症状が出た。

食べ物への疑問のきっかけはそんな子どもたちの異変だったとか。

そして、自分が知らなかっただけで、遺伝子組み換え食品に囲まれていたことを知るのだ。
「家族の食を守るのは政府ではなく、自分だ」と気づいたという。
こうして食卓から遺伝子組み換え食品を減らし、オーガニックに切り替えた結果、子どもたちの症状は改善していったらしいのだ!
ゼンさんは、自分の子どもの未来だけでなく、他の子どもたちの未来も守るため、同じような問題意識を持つ母親たちと、活動を開始。
「日本人が食べている肉の多くは、遺伝子組み換え作物の飼料で育った家畜の肉ということや、
家庭やレストランで使われている油も、遺伝子組み換え作物で作られているということを、
多くの日本人は知らずに食べている」とゼンさんは言う。

活動を続けるなかで、食品を調べていくと、懸念を持ったのは「グリホサート」という成分。そう先ほどのトピックスにも登場した成分だ。

そこで、プロジェクトを立ち上げ、自分の暮らす地域の水道水や、自分の子どもの尿などからこの成分がどの程度出てくるか、検査したのだ。

結果、自身の8歳の子どもの尿から、ヨーロッパの基準値の8倍のグリホサートが検出。

その8歳の子どもには自閉症の症状が出ていて、他の2人の子どもの尿からはグリホサートが検出されなかったのだとか。

同じ暮らしをしているのになぜ？　そこでゼンさんは閃いた。

他の2人の子どもは、小麦アレルギーなので小麦を食べていなかったのだ。

小麦は、ポストハーベスト（収穫後の農薬散布）で、グリホサートを大量に使用する。

そこで、食卓から6週間小麦を抜き、オーガニックに変えると尿からグリホサートが検出されなくなったのである。

そして、同時に自閉症の症状もなくなり、そこからは健康的な日々を過ごしているとのことだった。

グリホサートは他にも、ポテトチップスやたまご、粉ミルク、ワクチンからも検出されたそうだ。

そんな検査結果を受けてゼンさんは、以下のような行動を提起している。

・原材料や飼料を確認し、遺伝子組み換え作物が使われていない食

べ物を購入する
↓買わなければ、生産者側だって、変更せざるを得ない。そういう意味で、買い物を変化させることも立派な行動だ。
・スーパーやレストラン、学校などにオーガニックの食べ物を取り扱ってもらうよう要求する
↓消費者には絶大な力があり、例えばイタリアはカナダから大量の小麦を輸入していた。しかし、グリホサートを使うなら買わないと圧力をかけた結果、使用が激減したそうだ。
・パレードやイベントなどに参加する
↓知ってもらったり、人と繋がったりするいい機会になる。
・地方議員にコンタクトをとって要求を伝える

↓台湾では、地方選挙で要求を伝えることで、100の市で遺伝子組み換え油が学校給食からなくなったそうだ。

なお、南カルフォルニアでは実際に、ゼンさんたちの活動によって、全ての食材をオーガニックで調達できるようになったという。

ゼンさんはおっしゃっていた。

「怒ったり、悲しんだりするだけでは世の中は変わりません。誰かが変えてくれるのを待っていても変わりません。自分が多くの人たちと繋がって、世の中を変えるのです」

「あなたが何を食べるかで世界中の人たちの暮らしを変えることができるのです」

「食べ物は気候変動とも密接に関係しています」

ゼンさんの言葉を、初めて聞いた時に思わず涙が出そうになった。

もうひとつ、彼女の口から出たもので好きな言葉がある。

「絶対に諦めません。子どもへの愛は終わらないからです」

生きるということは、呼吸することではなく、行動すること。
愛するということは、思慕することではなく、行動すること。

健康より
価値のあるものはない。

カナダがアップデートした食事ガイド

先ほども言った通り、僕はお肉を食べない。
あと、乳製品、小麦、白砂糖も一切とらない。
添加物と農薬はできるだけ避けて、ついとり過ぎになる炭水化物もできるだけ避けている。

これは、自分から色々なことを学んで、自分の身体でも試して、一番自分の健康にいいと思っている食生活だ。

2019年、カナダ政府が食事ガイドをアップデートした。

・乳製品の排除
・タンパク質は植物性がメイン
・全粒粉推しへ

多くの日本人からしたら、信じられない食生活なのではないだろうか。

一方で、日本の食事ガイドはほとんどアップデートがなされていない。

しかし、「食」に関する研究はますます進み、特定の野菜や果物を中心にした食生活だと、細胞が実際に「若返る」という論文も発表されている。

また、肉、特に加工肉がガンや心臓病などのリスクを高めてしま

うことや、
白米より玄米、白い小麦より全粒粉、うどんよりそばが良く、白砂糖は色々な健康への害があることも分かっている。

健康より価値のあるものはない。
食べ物で治せない病気は薬でも治せない。

恵方巻きなどの食品廃棄の金額は
我々が負担している。
その金額年間約1兆円。
高校までの教育が
無償化できる額だ。

恵方巻きの購入をやめれば、高校まで学費無料？

日本の食品廃棄物等は、年間約2500万トン。

そのうち、食べられるのに捨てている食べ物は600万トンを超え、
これは世界中の食糧援助量である390万トンの1・5倍にものぼる。

そして、「廃棄量の約半分は家庭から」と言われている。

こんなふうに、ただでさえ、日本人の僕たちは日ごろから大量に食品を廃棄しているわけだが……、
さらに食品廃棄物が生まれるのが2月3日ごろ、節分の日。

そう「恵方巻き」である。

近年、農林水産省が食品ロス削減のため、「予約購入」を呼びか

けるくらい、毎年決まってこの恵方巻きの大量廃棄がニュースとなっている。

そもそも恵方巻きは、関西だけの文化だったものを、広島のコンビニのオーナーが売上増大のため、1989年に売り出し、徐々に日本中に広げたと言われている。

この恵方巻きなどの廃棄にかかる費用、実は僕たちも負担しているということは、ご存じだっただろうか？

工場などで製造する段階で廃棄が出た場合、「産業廃棄物」となり、その製造業者がその廃棄費用を支払う。

しかし同じ食品であっても、スーパーやレストラン、コンビニから出た食料廃棄物は「一般廃棄物」となり、その事業者も廃棄費用を払うが、我々が納める市区町村の税金も使われて処理されているのだ。

そして、企業は当然の如く「ロス分があっても利益が出るように商品価格に上乗せしている」。

そのため、購入者は、「廃棄の税金」に加え、「企業のロス分」も支払っているということになるのだ。

多くは添加物まみれの恵方巻きを、とても高い値段で購入していると聞いて、それでもなお、恵方巻きをコンビニやスーパーで購入する気分になれるだろうか。

そもそも恵方巻きは、材料さえ揃えれば、自分で作ることはそんなに難しくないメニューだ。わざわざ購入する必要なんてない。

なお、環境省が発表している自治体のゴミ処理費用は年間約2兆円で、そのうち40%～50%が「食品」。

つまり、年間８０００億円～１兆円にのぼる費用が食品廃棄に使われているということ。

文部科学省の試算では、高校までの授業料を無償化できるほどの額だ。

環境問題のためにも、
飢餓問題のためにも、
家計のためにも、
健康のためにも、
僕たちにできることは……

①出来合いのものを買わず自分で作る
②品切れがあっても文句を言わない

③買い過ぎない
④作り過ぎない
⑤注文し過ぎない（外食において）
⑥賞味期限を気にしすぎない（短めに書かれているため）
⑦プチ自給自足に挑戦してみる

きっと探せば、もっとやれることはあるはずだ。

食べ物は「何を食べるか」より、「誰と食べるか」

80ヵ国に行ってみて一番おいしかった食べ物

小学校講演の時、よく小学生からもらう質問のなかに、

「これまで80ヵ国に行ってみて、一番おいしかった食べ物はなんですか？」

というものがある。


これまで80ヵ国に行って、色々なものを食べた。

そもそも僕は「経験」にはお金を惜しまないようにしている。

高い食べ物を毎日食べるのは「贅沢」。

だけど食べたことのないものを、一度食べてみることは「経験」。

それは文化に触れるということでもある。

前置きが長くなったけど、色々な国に行って、色々なものを食べて分かったこと。

それは、食べ物は「何を食べるか」より、「誰と食べるか」だということ。

これまでで一番おいしかった食べ物は、

「おばあちゃんもお父さんも生きていた頃に、家族みんなで食卓を囲んで食べていたご飯」だ。

それよりおいしいものは、どんな国やレストランに行こうが、どんな料理人に作ってもらおうが、絶対に食べられない。

だから今、家族みんなで食卓を囲んでご飯を食べられている人には、ぜひ知っていて欲しい。

その時間は当たり前じゃないって。

できればスマホを触ったり、本を読んだりしながらではなく、お互いの顔を見て、今日あったことを話したりしながら食べて欲しい。

僕にとって、この先の人生で、それよりもおいしい食べ物に出会えることはない。

それはこの先の人生で、「もう一度食べたい」といくら願っても、もう二度と食べられないものだから。

CHAPTER

5

POLITICS

シンガポールでは、
政治家の給料は
「成果」で決まる。
日本では、政治家の給料は
どんな働きぶりでも
変わらない。

シンガポールの政治家の報酬は変動性

「所得が下位20％の人たちの所得は、どれくらい上がったか」
「失業率は、どれくらい改善されたか」
「所得の中央値は、どれくらい上がったか」
「GDPは、どれくらい伸びたか」
「所得の上位1000人の所得の中央値は」

シンガポールでは、こういった多数の項目で、大臣のボーナスを決めることが徹底されているという。

「日本の大学は入るのは難しいが、出るのは簡単だから、入ってから遊んでしまう人が多い」

「海外の大学は入るのは簡単だが、出るのが難しい」

こんな話を聞いたことのある方は多いのではないだろうか。

選挙に関しても、なんだか同じことが言えるような気持ちになる。もちろん、これは日本で政治家になることが「簡単」と言っているわけではない。

だが、選挙の時には耳ざわりのいい約束をしていた人たちも、実際に当選したら守らない人が非常に多い。

そして約束を守らなかったり、成果を出していなかったりしても、給料やボーナスがほとんど上がったり下がったりはしない。これ、民間の企業であればありえないことだ。

その上で、日本の議員報酬は3000万円以上と世界3位の水準で、各種手当を含めるとトップの水準だそうだ。

（イギリスLOVEMONEY．COMの調査より）


今の選挙や、政治家の報酬。

それらは僕たちの税金から支払われ、また選ばれた政治家の仕事ぶりで僕たちの生活は良くも悪くも一変する。


ベストは難しくても、ベターな在り方はなんなのか。

「常識を疑う力」が求められる、変革の時代に入っていると思う。

まずは声は上げずともおかしいことは「おかしい」と気づける力を。この本に記した、多くの疑い方を持って、日常を過ごしてもらえることを願っている。

ハンガリーでは
一人目を産めば減税、
四人産めば
所得税がゼロになる。

四人産めば所得税ゼロ!?
ハンガリー式少子化対策

ハンガリーが少子化対策に充てている予算は、GDP比にして日本の約6倍だという。

そして、その内容が非常に国民のことを考え抜かれており、感動を覚えるレベルなので、ここで共有しておきたい。

1．所得税の軽減

子どもの数に応じて、母親の所得税から以下の額が残りの人生の「毎月」軽減される。

・一人：32ユーロ（約4500円）
・二人：60ユーロ（約8500円）
・三人：99ユーロ（約14000円）

・四人：全額

2．車の補助金

子どもが三人以上いれば7500ユーロ（約110万円）

3．育児休暇

3年間（手当、保育料等の補助付き）

4．子育て支援手当

子どもが三人以上いれば、一番下の子が8歳になるまで支給

5．結婚奨励金

結婚後2年間支給

6. 無利子ローン

・妻が40歳になるまで、3万ユーロまで（約430万円）

・二人産むと3割が帳消しに、三人産むと全額返済不要

どうだろうか。これでもかというくらい、補助金や休暇制度の目白押しなのである。

しかも、ここには紹介しきれなかったが、その他、「マイホーム補助金」や、「学生ローンの減免」などの対策がされているというのだ。

これら政治のバックアップの結果、子どもを産む人も、結婚も劇的に増え、離婚や中絶は減っているのだとか。

当然と言えば、当然だが。

一方で、日本は子どもを産む人は減り続け、結婚したくない人の

数は過去最高。

あげくの果てにイーロン・マスク氏（テスラCEO、世界一の資産家）からは、

「日本はいずれ存在しなくなる」と発言される始末だ。

ただ、兵庫県明石市のように、「子どもを核としたまちづくり」として、

・生後3ヵ月から満1歳の誕生日までの子どもにおむつを無償でお届け

・プールや博物館などの公共施設の無償化（年齢制限あり）

など、子育てをする人たちのことを考えた政治を行っている地方自治体もある。

そこでは、子どもの数が増え続けていると言うから、政治の力と、それらを応援する市民の力はスゴい。

ニュースを見ていると、日本の政治家は、本気でやっている人がいないと思ってしまいがちだが違う。

世の中を少しでも良くしよう、前に進めようと、政治の世界で本気で頑張っている人もたくさんいる。

そんな本気の人たちを応援できるのは、僕たち市民だ。

少しでも住みやすい社会にしたいなら、自分の住んでいる地の政治にも関心を向けるべきだと思う。

人は「決められたルールの中で
どう頑張るか」
ばかりを考えて、
「そもそものルール自体を
変えるべきではないか」
ということは
驚くほど考えない生き物だ。

ハンガリーでは、子どもにも投票権がある？

現在の日本人の平均年齢は48歳程度。

そして、全有権者に占める、30歳未満の有権者の割合は「13・1％」。

60歳以上の占める割合は「40％」を上回っている（1950年には「14％」）。

しかも、このデータに加え、選挙のたびに若者が投票に行かないことが指摘されている。

「30歳未満の全員が投票に行き、
60歳以上の半分しか投票に行かない」
なんてことが奇跡的に起きたとしても、60歳以上の人の票数のほうが大幅に多いにもかかわらず、そもそも30歳未満の人は選挙に行く率が低いわけだ。

その結果、何が起きるか。

言わずもがな、60歳以上の理想ばかりが叶う国が、政策が、補助が、生まれていくのである。

もちろん実際は、高齢者だからといって「自分のことを最優先に考えて欲しい」と言っている人がたくさんいるわけではない。

むしろ、「次の世代のための政治をしてあげて欲しい」と考えている高齢者が多いことも知っている。

ただやはり、政治家が人口も投票率も高い層に忖度せざるを得ない部分はあるように思うのだ。

では一体、この状況をどうしていけばいいのだろうか。

僕たちは、「決められたルールの中でどう頑張るか」ばかりを考えて、「そもそものルール自体を変えるべきではないか」ということは驚くほど考えない生き物だ。

ハンガリーでは、こんなことが国会で正式に審議された。

それは、**「子どもにも投票権を与えて、親がその票を代理で投票できるようにする」**というもの。

当時のハンガリー与党「フィデス＝ハンガリー市民同盟」のベテラン議員であるヨージェフ・サイエル氏はこう言った。

「国民の約20％は子どもであるにもかかわらずその意見は反映されない。

『子どもにも投票権を』というアイデアは、普通には聞こえないかもしれないが、100年前には『女性に投票権がある』ということも普通ではなかった」

この素晴らしい提案は、

「子どもがいる人が有利になる」

「親が子どものニーズを反映するとは限らない」

といった反発にあい、通ることはなかったわけだが……。

しかし、ルール自体を変えようとしたことは賞賛されるべきなのではないかと思う。

今の「普通」は、昔は「普通」ではなかった。

これから「普通」になっていくことも、今は「普通」と思われていないかもしれない。

そんなふうに「普通」は変わっていくのだ。

数年に一度選挙が行われる今の民主主義の仕組みは、新陳代謝が早いという意味ではいいかもしれない。

しかし、どうしても政策が、目先のことにとらわれ、先を見据える力が欠けることが多い。

そのように近視眼的では、「教育（未来の世代への投資）」や、「環境問題（影響が出るまでに時間がかかる）」といったことはないがしろにされやすい。

だからこそ、僕たち市民が、決められたルールの外側に立つ視点を持つべきなのだと思う。

どんな情報でも
鵜呑みにせず、
自分でも調べ、考え、
判断し、責任を持つ。

世界報道自由度ランキング 日本はG7最低の「68位」

1985年、言論の自由を守ることを目的として、ジャーナリストによって設立された非政府組織「国境なき記者団」。その組織が毎年発表している「世界報道自由度ランキング2023」で、日本は世界68位だった。

ちなみに、上位は北欧諸国が占めている。
日本は、G7のなかでは最下位。
近隣諸国である韓国の47位や台湾の35位も下回る結果となった。

「国境なき記者団」が2021年に発表した報告書の中の、日本に関する記述を訳し、要約してみるとこうだ。

〃日本は報道の自由の原則や多様性を尊重しています。
しかし、日本の慣習や経済的な利害の影響によって、
記者たちは民主主義における監視役という役割を果たすことが難しくなっています。

記者たちは、2012年の国政選挙からというもの、
記者たちに信が置かれなくなったことについて不満を感じています。
「記者クラブ」の存在で、フリーランスや外国人記者は排除される構造が続いています。

ネット上では、福島原発事故や、沖縄の米軍について言及した

り、政権について批判的な記事を書いたりする記者たちは嫌がらせを受けています。

政府は、内部告発者や記者などが罪に問われた場合に10年以下の懲役をうける、「特定秘密の保護に関する法律」について、議論を避け続けています。〟

また同報告書は、以下のように警鐘を鳴らした。

「新型コロナウイルスの感染拡大を理由とした、情報遮断や取材妨害が世界各地である」

今のこの国の状況を見ていると、

メディアが「白」と言えば、黒も白になり、メディアが「黒」と言えば、白も黒になる状態にあるようにも見える。

そんな状況が続いている理由は……
みんなが「自分の頭で考えないから」だ。
いわゆる「思考停止」である。

これは、なにもテレビに限った話ではなく、新聞であっても、YouTuberやSNSのインフルエンサーの発信であっても、同じだ。
「信頼するAさんが言っていたから」といって鵜呑みにするのであれば、対象が変わっただけで「思考停止」には違いない。

どんな情報でも鵜呑みにせず、自分でも調べ、考え、判断し、責

任を持つ。

このプロセスを踏む人が一人ずつ増えていった時に初めて、この状況に終止符が打てるかと。

結局、その国の政府やメディアが、その国の国民のレベルを超えることはないから。

一人の志がある政治家の力で
国を変えることができるのなら、
もうとっくに日本は変わっている

ドイツ人はかなり環境に危機感を持っている

2021年ドイツで行われた『連邦議会選挙（※）』。

（※ドイツの立法府＝日本でいう国会を構成する議員を有権者が選ぶ選挙。ドイツは正式には『ドイツ連邦共和国』というため、「連邦議会選挙」と呼ばれる）

その選挙前に「ドイツ公共放送連盟（通称ARD）」が実施した世論調査によると、「最も重要な政治課題」という質問に対して最も多かった答えは、「環境・気候変動対策」で、33%だったそうだ。

前回の選挙の際の同調査で「環境・気候変動対策」と答えた人は9%だったので、この数年で気候変動に対する有権者の関心が急激に高まりを見せたことが分かる。

選挙結果は、気候変動への取り組みに力を入れ続けてきた「緑の党」が、議席を51増やし、118議席を獲得し、第三政党へと躍り出た。

また、それまで第二政党だったSPD（ドイツ社会民主党）も、石炭火力発電の廃止、公共交通機関の充実、水素エネルギーへの投資など、環境政策をアピールし、議席を53増やし、206議席を獲得。CDU・CSU（キリスト教民主・社会同盟）に代わって第一政党へと躍り出たわけだ。

こういった選挙結果を受け、ドイツでは続々と、気候変動への対策が進んでいくことが期待されている。

僕がこの本でお伝えしているようなメッセージを講演会で話していると、よくこういった声をいただく。

「政治家になればいい」
「政治家に言えばいい」

確かに、政治家になる人も必要だと思う。
その上で、僕がシンプルに思うのは……
一人の志がある政治家の力で国を変えることができるのなら、もうとっくに日本は変わっているんじゃないかなってこと。

逆に、仮に先ほど書いたドイツのような状況が作れたなら、「選ばれる側」である政治のほうが変わらざるを得ないことは、白明の理である。

また、一人の志がある人が立候補したとして、政治家として権限を持てるかどうか。

それを決める力があるのも、有権者のほうなのだ。

だから僕は、人によっては遅く見えたり、または無意味に見えるかもしれない、「変革の必要性を一人一人に伝える」ということの活動を、信念を持って続けている。

自分にできることを、言い訳をせず、人のせいにせず、できない理由を並べず、淡々とやる。

そしてその成果は、一歩ずつではあるかもしれないが、確実に表れてきている。

本当の力は、僕たち一人一人にある。

多くの人の関心を高めることができたなら。

「民意」として集まることができたなら。

僕たちは、ほぼ全ての事柄を実現することが可能なのだ。

CHAPTER

6

RULE

「知識」と「勇気」。
どちらか一方が欠けても、
大切な人を守れない。

人を守るのに必要なのは「知識×勇気」

沖縄の洞窟（ガマ）へ行き、戦争の歴史を学んだ。

アメリカ軍が沖縄に上陸してきた時、沖縄の人々はこの「ガマ」と呼ばれる洞窟に隠れたそうだ。

その日訪れたガマは2つ。
ひとつには100人を超える人が、もうひとつには1000人を超える人が隠れたそう。

「米兵に捕まったら、とても残酷なことをされ、殺される」
当時の日本ではこう教えられていて、多くの日本人はそれを信じていたそうだ。
しかし、どちらのガマもアメリカの兵隊に見つかってしまう。
米兵は、「命の保障はするから出てこい」という旨を隠れる人々に伝えた。

100人を超える人が隠れたガマでは、その言葉が信じられることはなく、やがて集団自決が行われたそうだ。

子どもは自分では死ねないので、親は子どもを先に殺してから、自分も逝ったという。

一方、1000人を超える人が隠れたガマでも、集団自決の話が出るのだが、2人の男性がそれを止めるのである。
70代前後の兄弟で、「米兵に捕まっても殺されない。俺たちが話をしてくる」と言ったそうだ。

実際にその男性2人はガマから出て、米兵と話をして戻ってきた。

ガマで隠れていた人たちは、無事に帰ってきた2人に説得され、ガマを出ることを決意。

そして、1000人を超える人たちは助かったのだという。

その2人はハワイの農場で働いていた経験があり、米兵に捕まっても殺されないことを知っていたそうだ。

自分で世界に出たから得ていた「知識」。これが多くの命を守ることになる。

しかし、多くの命を守るために必要なのは「知識」だけではない。自ら率先してガマから出て米兵と話し、ガマに隠れ真実とは違うことを信じていた人たちを説得しようとする「勇気」。

もしかしたらもうひとつのガマのほうにも、同じ知識があった人がいたかもしれない。

しかし「勇気」が足りず、同じ行動に出られなかったのかもしれないのだ。

どちらか一方が欠けても、大切な人を守れない。

現代社会においても、同じことが言える。

身体に入れるものについてもそうだし、感染症対策なんかがまさにそうかと。

大切な人を守るために、学ぼう。
そして、勇気を持とう。
その2つは現代人が手にすべき武器である。

「平等（equality）」は、

「みんなに同じことをする」

ことであり、

「公平（equity）」は、

「みんなを同じようにする」こと。

目指すべきは「平等な社会」ではなく、「公平な社会」

ごちゃ混ぜにされることが多いけれど、「平等」と「公平」は違う。

「平等（equality）」は、「みんなに同じことをする」ことであり、

「公平（equity）」は、「みんなを同じようにする」ことだ。

これを分かりやすくするために、「10」の財源があったとして、これを5人で分けようとなった時に、平等に分けるのと、公平に分けるのでは、どう違うかを見てみよう。

まず「平等に分ける」というのは、5人にこの財源を「2」ずつ分けることを意味する。

一方、「公平に分ける」というのは、財源に困っている人にはより多くの財源を渡すといった具合に、分配の比率を変えることを意味するわけだ。

そんな前提をもとに考えてみて欲しい。今の日本社会は、子どもたちにとって公平な社会になっているだろうか。

子育てをする親御さんにとって公平な社会になっているだろうか。

ブラジルに住んでいる日本人のお母さんがこんなことを教えてくれた。

「ブラジルでは、子どもを連れていると、まるでそれが特権のよう

に、みんなが優遇してくれる。

日本では、子どもを連れていると、申し訳なさを感じさせられるようなことが多かった。

それが理由で、治安や衛生面、利便性の差を考えても、日本よりブラジルにい続けたい」

子育てのしやすさは、社会保障のようなお金だけの話では決してない。

社会の空気がとても大切だし、その空気を作っているのは社会の一員である自分でもあり、あなたでもある。

ただでさえ、子どもを産んで育てる人が減っている日本では大人が真剣に考える時に来ていると思う。

思考停止した状態で
ルールを作る人たちを選び、
そうやって選ばれた人たちが
ルールを作り、
それに思考停止して従ってしまう。
そんな世界はごめんだ。

海外では「What」よりも「Why」が大切

「日本では『義務』は教えるが『権利』は教えない」

発信や講演会で、このことをずっと言い続けている。

もうひとつ、この3年の感染症騒動と、久々のヨーロッパツアーを経て、あらためて強く感じていることがある。

「日本では〝What(なに)〟は教えるが〝Why?(なぜ?)〟は教えない」ということ。

ヨーロッパ中で、たくさんの〝Why?(なぜ?)〟に出逢った。

僕は気になりだすと、納得するまで気が済まないので、とりあえず聞きまくった。

そうすると、ヨーロッパの人たちはみんな、〝Because

〜・（なぜかというと〜。）〟と言って、その理由を教えてくれた。

もちろんその理由を「おかしな理由だなぁ」と思うこともあったが、説明してくれるというだけで、多少なりとも納得感があった。日本で同じような状況になると、多くの場合はこう返ってくる。

「ルールだから」「決まりだから」「そういうものだから」

これは、行政、企業、学校の先生、親だけではなく、多くの大人がそうだ。

子どもはそう言われ続けると、せっかく旺盛な好奇心がそぎ落とされ、無気力になり、やがて同じことを言う大人になってしまう。

僕は自分なりに考えた理由を説明できる大人でありたい。

ルールや決まりというものは、「全知全能の神様」が作ったものではない。「物が下に落ちる」みたいな、いわゆる「自然の摂理」のようなものでもない。あくまでも、人間が作ったものだ。

それなのに、その理由も分からないまま思考停止し、無闇に従い続けるのは危険ではないだろうか。

もちろんルールを作る人が、能力も人間性も優れた人であれば、思考停止して従ってもあまり危険ではないかもしれない。しかし、能力はあるが、悪意がある人や、人間性は優れているが能力はない人、またはどちらもない人が作ったルールだとどうだろうか。

思考停止した状態でルールを作る人たちを選び、そうやって選ばれた人たちがルールを作り、それに思考停止して従ってしまう。そんな世界はごめんだ。

〝ルールは正義ではなく、時の権力者の都合〟という言葉も存在する。**〝What（なに）〟ではなく〝Why？（なぜ？）〟**。

考え抜こう。時間はかかるかもしれないが、自分なりの答えが出るまで。

善か悪か、
正解か間違いかではなく、
「選択の自由」を
いかに守れるか。

本当に「中絶禁止」にして大丈夫？

2022年、アメリカでは、「憲法上、中絶を禁止していいか」についての裁判が行われた。
その結果、「憲法上は中絶を禁止していい」という判決が下され、実際に多くの州では中絶が禁止された。

そしてその後、中絶が禁止となったオハイオ州で、10歳の女の子にレイプによる妊娠が発覚した。
たとえレイプによるものであっても中絶が禁止されたため、その女の子は別の州に行って中絶措置を受けた。

もし全ての州で中絶が禁止されたなら、その女の子の人生はどうなっていただろう。

「中絶を禁止していいか否か」には、賛否両論がある。

「自分なら、たとえレイプによるものであっても、中絶はしない」という人もいるだろう。

しかし、大切なのは、予防接種についてもしかり、「選択の余地」が残っていることだと思うのだ。

そしてこれが、憲法というものの存在の大きさ。

「憲法」と「法律」を同じようなものだと思っている人もいるかもしれないが、全く違う。

憲法はその国の「グランドデザイン」と呼ばれ、その国の在り方……つまり、「どのような国か」を決めるもの。
「戦争ができるか」、「中絶が禁止されるか」、「表現の自由が許されないか」など、全ての事柄においてだ。

憲法に反する法律は作ることが許されない。
逆に言えば、憲法に反していない限りは、どんなに理不尽に見える法律でも作られうる。

近い将来、この国の全国民にその賛否が問われる「憲法改正」。
その「憲法改正」の結果によっては、この日本という国の在り方そのものが完全に変わる可能性がある。

難しそうだからとか、めんどくさそうだからといって投票に行か

なかったり、

よく分からないからイメージで決めるとか、周りに合わせるといった投票行動をとったりして、

いざ変わってから、「こんなつもりじゃなかった」と言っても、その時にはもう手遅れ。

他の国でも生きていけるような富や力のある人なら、それも有りかもしれないけれど、多くの人はそうじゃない。

間に合わなくなる前に。

あとで、後悔しないために。

今、手元にあるインターネットで「憲法改正」というワードを引いてみるのはどうだろうか。

憲法改正の情報はすでに揃っている。
あとは、あなたがあなた自身の力で、それを知るだけだ。

職場における男女平等は
叫ばれるようになってきたものの、
家事における男女平等が
議論になることはほぼない。

「女性」というだけで不利になる社会にしてはいけない

全国で一緒に講演活動をしてくれる人には、いわゆる「お母さん」が多い。

僕の活動量を「スゴい」と言ってもらえることがあるが、僕はそうは思わない。

だって、僕には子どももいなければ、ホテル暮らしで外食だから、料理も掃除も洗濯もない。だから、自分の活動に100%の力を注ぐことができる。

だけど、全国のお母さんのほぼ全ての人はそうではないから。

子どもたちのお世話をして、家のこともやって、そして、仕事もして、その合間にできた時間で講演などの活動をしているわけだ。

そういうお母さんたちの真似は、僕には到底できない。

僕がこういうことを言うのは、キレイゴトでも、僕がいわゆるフェミニストだからでもない。


僕が自分自身のお母さんを尊敬しているからだ。


自営業をしながら、僕を含めて5人の子どもを育て、社会へと旅立たせてくれたお母さん。

そのなかで、自分の夢を諦めたこともあったかもしれない。

それでも彼女は、子どもの僕たちには笑顔を絶やさなかった。


インド三大財閥のひとつとも言われる、マヒンドラ・グループの会長を務める、アナンド・マヒンドラという大富豪の男性がいる。

彼は、1歳になる自分の孫のベビーシッターをした時、あることを痛感し、ある画像をSNSに投稿した。

その画像では、ビジネススーツを着た男性と女性が陸上トラックにて今にもスタートを切ろうとしている。

しかし問題なのは、男性が走るトラックには何もないのだが、女性が走るトラックには洗濯物や食器の洗い物などありとあらゆる家事が障害物として置かれていることである。

その大富豪の男性は、この画像とともに、こう投稿した。

〝私はこの1週間、1歳になる孫のベビーシッターをした。
それだけでも、この画像が表現する厳しい現実を痛感せざるを得

なかった。

私は家事や子育てをこなす全ての女性に敬意を表する。

女性が社会的に成功した裏には、男性に比べても、どれほど多くの、筆舌に尽くしがたい努力があったことだろう。〃

職場における男女平等は叫ばれるようになってきたものの、家事における男女平等が議論になることはほぼない。

今こそ、後者の平等性ももう少し議論されるべきなのではないだろうか。

これは男性がもっと声を上げるべきだとも思う。

有利な立場に立っている男性がもっと声を上げていけば、この「家事における男女平等性」は、もっと前に進むから。

だからこそ男性である僕は、この問題について、もっともっと声を上げていきたい。

日本に一番足りない安全保障は「食の安全保障」

その食べ物、海外ではとっくに違法！

「日本は安全保障にもっと力を入れるべきだ」

ウクライナ戦争が起きてから、こんな話を聞くことが増えた。

『Global Firepower』が毎年発表している軍事力ランキングで、日本は世界で5位（アメリカ、ロシア、中国、インドに次いで）。

「安全保障」というと、軍事力ばかりに話がいくが、外交力も安全保障だ。

それにもっと言うと、僕個人としては、この国に一番足りていない安全保障は「食の安全保障」だと思っている。

農林水産省が発表している、日本の「食料自給率」は「40％以下」を推移している。

肥料や農薬、種も輸入に頼っている部分が多いため、それらの要素も考慮するなら、食料自給率は「0％」に近づくという。

実際、今回のウクライナ戦争が原因で肥料価格が高騰し、「世界的な食料危機が起こる」と、大手肥料企業を経営する人は懸念している。

また、食料生産は、今後気候変動による干ばつや豪雨、温度変化でさらに危機にさらされる見込みだ。

それに、食の安全保障を語る上で外せないのが、「食品添加物」

について。

ヨーロッパでは発がん性などの理由で禁止されているにもかかわらず、日本では許可されている数々の添加物が存在する。

着色料（黄色5号／赤色40号）

お菓子やケチャップなどに使われているが、子どもへの悪影響などが警告されている。

家畜用医薬品（牛などへの成長ホルモン等）

豚の歩行困難や呼吸困難、衰弱死などが見られている。

BHA／BHT

バター、マーガリンなどに使われているが、発がん性などが懸念されている。

臭素酸カリウム／ADA

パンを大きくするためなどに製造過程で使用されているが、発がん性が懸念されている。

「安全保障」が頻繁に話される今だからこそ、「食の安全保障」が進められるべきだと僕は思う。

CHAPTER 6

RULE

平和には
戦争以上の力があり、
平和には
戦争以上の忍耐と努力がいる。

アフガニスタンの砂漠に奇跡を起こした、日本の医師

『荒野に希望の灯をともす』という映画の上映会を、仲間が主催していたため、僕も参加した。

衝撃だった。涙が止まらなかった。僕のこれからの人生に大きな影響を与えてくれた。

この映画の主人公は、医師である中村哲さん。

アフガニスタンとパキスタンで35年にわたり、病や戦乱、そして干ばつに苦しむ人々に寄り添いながら命を救い、生きる手助けをしてきた方。そんな中村さんの35年の軌跡を映像にしたのがこの映画というわけだ。

少しこの中村哲さんの経歴についても触れておこう。

中村さんは、１９４６年に福岡市で生まれた。

子どもの頃から自然や昆虫が大好きで、大人になって医師となった。

この頃、珍しいチョウを見たいと思った彼は、アフガニスタンとパキスタンの間にある高い山に登った。

そんなことから、これらの国が好きになったそうだ。


そして１９８４年、パキスタンの都市ペシャワールの病院で彼は働くことになった。担当したのは、ハンセン病という病気の診療。病院と言ってもちゃんとした道具はない。

同じ頃、中村さんを応援する人たちが集まり、「ペシャワール会」という団体もできた。

さて、その頃パキスタンの隣にあるアフガニスタンでは、戦争が起きていた。

中村さんが働く病院に来る患者のうち半分は、アフガニスタンから逃げてきた人たち。中村さんは、医師がいない村がたくさんあり、多くの人たちが困っていると知り、戦地であるアフガニスタンに診療所を開いたのである。

その後、戦争に苦しんでいたアフガニスタンで、さらに大変なことが起こった。大地が乾いて畑は砂漠のようになり、大切な小麦が採れなくなったのだ。いわゆる、「干ばつ」である。

水もなくなり、子どもたちは地面の泥水を飲み、体が弱り、多くの人たちが亡くなった。

「病気を治す前にまず、水が必要だ」

そう思い立った中村さんは、井戸掘りを始めた。

井戸を掘っていくなかで、地下水がかれ始めていることに中村さんは気がついた。

考えあぐねた結果、大きな川から水を村に届けるための「用水路」を造ることを決心。

しかし、医師である中村さんは、そんな用水路の設計なんてしたことはない。

そこで、高校生の娘から教科書を借りて、苦手な数学を一生懸命に勉強し直したのだ。

それから、数年後のこと。ようやく、一本の用水路が完成した。

名前は地元の言葉で真珠という意味の「マルワリード」。

近くの村には水が行きわたり、小麦やオレンジ、大根など色々な作物が作れるようになった。

しかも、元々砂漠だった場所までもが緑に生まれ変わり、地元の人たちも驚き大喜び。

その後も、近くの住民たちに頼まれて、用水路を造り続けたのだ。

用水路のおかげで水や食べ物に困らなくなった人たちの数は65万人にものぼる。**その成果を讃え、アフガニスタン政府は中村さんに特別にアフガニスタンの名誉市民権を認めたのである。**

しかし、2019年12月4日。

用水路の工事現場へ向かう途中に中村さんは、銃で撃たれ亡くなった。73歳だった。

中村さんは、病気で余命がない自分の子ども（10歳）との時間を作れないことにも涙を呑みながら、アフガニスタンの現状を伝えるために、日本中を過密スケジュールで講演して回り、わずか1ヵ月で2億円を集めたという。

その映画で特に印象に残ったのは、以下のような言葉たち。


「戦争で国が良くなることはない」

「戦争をしているヒマはない」

「アフガニスタンでは気候変動で農地が乾燥し、食料が失われ、深刻な事態になっている。

薬だけでは人は守れない。清潔な水、十分な食べ物を確保するために、用水路が欠かせない」

「お金さえあればと札束が舞う世界は砂漠以上に危険で面妖」

「僕は憲法9条なんて、特に意識したことはなかった。

でもアフガニスタンでは憲法9条がバックボーンとして僕らの活動を支えてくれている」

「信頼関係があること。これが武器よりも大切なこと」

「どの場所、どの時代でも、一番大切なのは命です」

「善意の押し付けだけでは失敗します」

「信頼は一朝にして築かれない。

利害を超え、忍耐を重ね、裏切られても裏切り返さない誠実さこそが、人々の心に触れる」

「平和には戦争以上の力があり、平和には戦争以上の忍耐と努力がいる」


一人の人間が成しえることの偉大さを、身をもって見せてくれた。

今行っていることをこのまま続ければ、生きている間に自分は何が成せるか、ワクワクが止まらない。

CHAPTER

7

ENVIRONMENT

政治は自分の住んでいる場所から。
ひとつずつ、オセロゲームのように
楽しみながらひっくり返していけば、
国も変わらざるを得ない。

世界の焼却炉の約3分の2が日本にある

「大量生産↓大量消費↓大量廃棄」を繰り返してきた日本。

これまで、この「大量廃棄」の受け皿は、この国ではとにかく燃やすことだった。

そんな日本が抱える焼却炉は「1028基（ドイツ約50基）」。

なんと世界の焼却炉の約3分の2は日本にあったこともあるという。もちろん国ごとに事情が違うという大前提はあるが。

そのとにかく燃やすことの「ツケ」は、次のような形で未来ある子どもたちに回されようとしている。

・石油などエネルギーを使用して燃やすことで、気候変動を進める

・燃やすために莫大なお金がかかる（僕たちの税金）

・有害物質の発生

「子どもたちの未来が危ない」と考えた福岡県大木町は2008年、当時の町長から次のような宣言を出した。

『もったいない宣言（ゼロ・ウェイスト宣言）』

そして、住民、事業所、行政が役割を分担し、「ゴミゼロ」を目指す循環型社会が作られ始めたのだ。

循環の仕組みはこうだ。

①各家庭に無料で生ゴミ専用の大きなバケツが配られる
②各家庭ではそのバケツに日々の生活で出る生ゴミを貯めていき、

生ゴミの日（週2回）に出す
③集められた生ゴミは循環センターの専用の発酵槽で発酵され（37℃22日間）「液体肥料」と「ガス」になる
④液体肥料は地域の農地に散布される
⑤その農地でできた食べ物は地域の給食や食卓に並ぶ（地産地消）
⑥生ゴミが出て、②に戻り、循環

生ゴミが発酵する際に出るガスは発電に使われ、循環センターはその電気で運営されている。

ゴミの話をすると、「プラスチックゴミ」ばかりが注目されているが、家庭ごみの約6割は生ゴミだ。

ちなみに、この取り組みの成果もあって、大木町では可燃ゴミが60％減ったそう。

処理費用は年間約３千万円減り、そのお金は地域に還元されているのだとか。

地域の農家さんも化学肥料を使う場合に比べ、費用が10分の１くらいに抑えられるとかで、**今では日本全国だけでなく、世界中からひっきりなしに視察がくる町となった。**

当時の町長はこの取り組みを行うにあたり、ドイツに視察に行ってドイツの例を参考にしたそうだ。


政治に関心がある人でも、ついつい国政にばかり目を向けがち。だけど政治の本質は、自分が住んでいる地方自治体なのである。

自分の住む自治体のほうが、国政よりもよっぽど自分の生活を左右することが多いから。


そして、ワクワクする話はここから。

日本に市区町村などの自治体は実は１７００強しかない。

ひとつずつ、オセロゲームのように楽しみながらひっくり返していけば、国政も変わらざるを得ない。

国政は最後。

政治は自分の住んでいる場所から始まる。

見直すべきは
素材ではなく、
「使い捨て文化」

紙袋とプラスチック袋、どっちが地球に優しい？

ドイツではスーパーマーケットなどに買い物に行くと、レジで袋はもらえず、忘れた場合に売られているのは「紙袋」で、それも日本円にして「30円」ほどかかる。

エストニアという国でも、同じようなルールだった。

やはり世界は、プラスチック製のレジ袋が縮小していっているのが現状だ。

しかし、「プラスチックの袋のほうが、むしろ紙袋より環境負荷が低い」と言う人を、最近よく見かける。

本当にそうなのだろうか？ このことについて考える時、次の4つの項目が重要なポイントだと言われている。

①使用エネルギー（製造の際、どれくらいのエネルギーを使用するか？）
②耐久性（何回、再使用できるか？）
③リサイクル性（リサイクルしやすいか？）
④分解性（捨てられた際、分解にどれくらいの時間がかかるか？）

ひとつずつ見ていこう。

①使用エネルギー
（製造の際、どれくらいのエネルギーを使用するか？）

２０１１年、『北アイルランド議会』が作成した研究論文には、以下のようなことが書かれている。

・紙袋は製造の際、プラスチックの袋の4倍のエネルギーを要する
・紙袋は製造過程で、より濃度の高い有害化学物質が出る
・紙袋はプラスチックの袋よりも重いため、輸送の際により多くのエネルギーを必要とする
・プラスチックの袋（石油精製の廃棄物から作られる）とは違い、紙袋は森林を伐採して作る

ただ紙袋は、責任を持って管理されている森林の木々から作られている。そんな管理体制のもと、木々を伐採した場所で新たな木々が育てば、大気中の炭素を閉じ込めるため、気候変動への影響を相殺するのに役立つとも言われている。

②耐久性（何回、再使用できるか？）

英環境庁が2006年に発表した調査では、紙袋は、特に水に濡

れると、破れやすく、3回の再使用には耐えられない可能性が高いと結論づけた。

なお、これには、取扱い方によっては可能であるという反論も出ている（ちなみに綿のエコバッグは、製造時の環境負荷は最も高いが、耐久性も最も高いとされた）。

③リサイクル性（リサイクルしやすいか？）

リサイクルという言葉にはプラスチックのイメージがついているかもしれない。だが、紙袋のほうが、プラスチックの袋よりも、幅広くリサイクルすることが可能だとされている。

④分解性
（捨てられた際、分解にどれくらいの時間がかかるか？）

紙袋は、プラスチックの袋よりもよっぽど早く分解されるため、自然界にゴミとして残り、野生生物へのリスクとなることはプラスチックの袋に比べて少ないとされている。

ちなみに、プラスチックの袋は、自然界で分解されるまでに400〜1000年の時間がかかるそうだ。

さて、色々と研究結果を並べてきたが、結局のところ何がベストなのだろうか。詰まる話、それぞれの素材に特徴があり、「そもそも自分がなにを大切にしたいか？」で決めるしかないのだろう。

僕個人としては、プラスチックの「自然界で分解されるまでに400〜1000年かかる」という事実が、最も懸念すべき事項のように思えて仕方がない。

「現在までに生産されたプラスチックの実に3分の1は自然界に流

出している」とされ、このままではあと30年もしないうちに、「海のプラスチックゴミの総重量は、海の魚の総重量を超える」と言われている。

それらがマイクロプラスチックとなり、魚や貝、水を介して僕たちの体内にも入ってしまうのは言わずもがな。

ＷＷＦ（世界自然保護基金）は、「私たちは毎週クレジットカード１枚分のプラスチックを食べ続けている可能性がある」と発表。

２０２２年３月の研究では、もう血液の中にも混入していることが分かっている（それが健康に与える影響はまだ解明されていないが）。

最後に、一番押さえたいポイントはこちら。

ノーサンプトン大学で「持続可能な廃棄物管理」を教えるマーガレット・ベイツ教授の言葉。

「どんな素材であれ、可能な限り再使用することがカギなのです」

紙か？　プラスチックか？　綿か？

こういった素材についての議論ばかりが行われがちだが、今、真っ先に見直されるべきは、「素材」ではなく、「使い捨て文化」なのだと思う。

ものを大切にすることは結局、地球を大切にすることに繋がり、そこに住む自分たちも大切にすることになるのだ。

原子力発電の開発に、
気候変動リスクは
考慮されていない。

もう原発は、存在できなくなるかもしれない

原発が今、世界中で気候変動のリスクに直面しており、そのことについて書きたいと思う。

原子力発電とは原子力を用いて水を沸騰させて、その蒸気でタービンを回して電気を作るという仕組み。

その時、原子炉が熱くなりすぎて事故が起きるのを防ぐために、大量の冷やすための水が必要になる。

原子力発電所が基本的には海や大きな川の近くにあるのはこういう理由からだ。

そんなことから端的に言えば、原子力発電とは「巨大な湯沸かし器」のようなものだ。

しかし、そんな原子力発電にとって必要な海や川が、今、異常気象によって変化し始めているのだ。

2022年、西ヨーロッパを熱波が襲い、数百人が犠牲になる激しい山火事が発生した。

極度の干ばつも発生し、川の水も激減した。

そうしたなかで、大きな川の水温は生物が死んでしまうほどの熱さとなり、原子炉を冷やすことが不可能となった。

こうしたなかで、フランスは複数の原発を停止するなどの対応をとっている。

近年気候変動の影響でこういった事態が頻発しており、2018年と2019年にも停止している。

北欧も海水温が上昇しすぎた影響で、原子炉を安全に冷やすことができなくなり、停止するなどの対応を取った。

アメリカでも、同様の理由で何度も停止する対応を取っている。

先に書いた極度の暑さや干ばつ以外にも、様々な気候変動リスクが原発を襲っている。

温室効果ガスにより地球の温度が上がり始めたとされる1800年頃から、海面上昇が続いている。これと、頻発するようになった激しい暴風雨が相まって、原発のある沿岸部では洪水のリスクが高まっているのだ。

福島原発事故の後に米原子力規制委員会（NRC）によって行われた調査では、異常気象で浸水すると特定された施設は数十あったそうだ。

NRCは、アメリカにあるいくつかの原発について、稼働の延長を取り消すなどの対応を取っている。

また、水温の上昇が一因とされるクラゲの爆発的な増殖や、藻類の増殖で、管が詰まるといった意外な問題を懸念する声も。

さてこれは、英リーズ大学の研究者がこれまでの原発の規制を調べ直した結果を受けて行った発言である。

「気候変動リスクは考慮されておらず、怖くなった」

先日、気象予報士がこんなことを言っていた。

「毎年、異常気象と言っていますが、これってつまり、毎年、〝異常〟が更新されていってるってことなんですよ。

年々、異常のレベルが上がっており、怖いです」

もう地球はこれまで通りの地球ではない。
だからこそ、僕たちの暮らしだって、これまでと一緒でいいわけがないのだ。

「良い、悪い」ではなく、
「向き、不向き」だと思っている。
そして日本には、
とても向いていることがある。

日本は世界一のエコ大国になれる

僕は「良い、悪い」と「正しい、間違い」という言葉があまり好きではない。

「良い、悪い」ではなく、何事も「向き、不向き」だと思っているから。

「飽き性」は「色々なことに挑戦する」ともとれるし、「保守的」は「一貫性」ともとれる。

長所も短所だし、短所も長所なのだ。

「正しい、間違い」なんかは、その人やその時によって異なるわけだし。

そういう意味で、日本には、とても向いていることがある。

例えば、タイタニックのような船があって、沈没しそうだとして、一人ずつボートで脱出させていては間に合わないため、海に飛び込んでもらわないといけなくなった場合、それぞれの国の人に〝何と言えば飛び込んでくれるか〟。

そんなことを表したことわざのようなものがある。


フランス人には「絶対に飛び込まないでください」と言うと、飛び込んでくれる。

実際にフランスでは、新型コロナウイルスが感染拡大した際、「マスクを着けないと最大135ユーロ罰金」というルールがあっても、着けない人が割と多くいたという。


イタリア人には「美女が泳いでますよ」と言うと、飛び込んでく

れる。

実際にイタリアを女性と訪ねた時、僕がトイレに行った数分の間にその女性は何人もの男性に声をかけられていた。

ドイツ人には「飛び込んでください。これはルールです」と言うと、飛び込んでくれる。

実際にドイツにいた時に驚いたのは、電車の駅に改札機がなく、チケットを確認されることがほぼないこと。それなのにみんな、ちゃんとチケットを買っていた。

それでは最後、日本人には一体、なんと言えば、海に飛び込んでくれるだろうか。

日本人には「みんな飛び込んでいますよ」と言う。

これが答えだ。

僕はこれまで80ヵ国を訪れ、色々な国に住んだことがある。

だが、「他の人がやっているから」という理由で、人がここまで行動を変える国は日本以外に知らない。

それが「同調圧力」と呼ばれ、良くないほうに出ることもあるだろう。

しかし、これが「協調性」となって良いほうに出た時のパワーとスピードは計り知れないものがある。

ここ4年で全国を講演で回る中、日本でおよそ10万人を超える人に会った。

環境問題などに関心が向いている人は、欧米に比べまだ少ないかもしれないけれど、それと同時にスゴいスピードで増えていることを肌身で感じている。

あと少し。

これがあと少し増えて、

「ペットボトルを人前で出すのが恥ずかしい」、

「バッグを忘れてレジ袋をもらってしまうのが恥ずかしい」

そういうふうに、ガラッと価値観が変わる瞬間を、近い将来に創る。

その最後の一番大きな一歩が、他のどの国よりも速く、なおかつ簡単な国は、この国だと思う。

日本は世界一のエコ大国になれる。

アウトロダクション

僕の家族は、ビックリするくらい仲が良い。
昔から、それが当たり前だと思っていた。

しかし、どうやらいろんな人の話を聞くところによると、当たり前ではないらしく、僕の家族の話をするとよくびっくりされる。
そんななか、最近、面白い研究を知った。

アメリカで、いつも敵対している、2つの派閥があったそうだ。
その2つの派閥がどうにか仲良くならないものかと、様々な試みが行われた。

一緒に料理を作ったり、スポーツをしたり、自然のなかでキャンプをしたり……考えつくことは全てやった。

ところが結果は、仲良くなるどころか、むしろ敵対心が深まっていくばかりだった。

「もうこれはどうにもならないかも知れない……」

そう言って、研究者たちも諦めかけた時、ひとつだけうまくいったアプローチがあった。それは……、

〝協力し合わないと乗り越えられない、共通の課題に取り組む〟こと。

そんな共通の課題が目の前に現れた時、ずっと敵対していたはずのその2つの派閥が、ウソのように仲良くなったという。

思えばうちの家族は、経済的にはとても大変だった。

だから兄弟揃ってできるだけ家業を手伝ったたし（嫌がって逃げたことも多々あったけど）、兄が興したビジネスを一緒にやったこともあったし、最近も一緒に立ち向かった課題もある。

「戦友」と言ってもいいかもしれない。同じ課題に常に向き合っていたから、一丸となれたような気がするのだ。

反対に、何不自由なく生きていたら、僕たち兄弟は今みたいに仲良くなれていただろうか、と思う。

さて、今現在、僕たちが住むこの地球は難しい局面に立たされている。そう、この本でも何度も書いてきた通り、「地球規模の環境問題」が目の前に山積みなのである。

もちろん、このままでは、この地球に住めなくなる危険性すらある。これはつまり、今、地球人全員が、共通の課題に向き合わされている、まさにその時なのだ。**そう考えると、人類が手を取り合うチャンスなのかもしれないなとも思う。**

国と国が争い合い、人と人が憎しみ合い、富の取り合いをしている場合ではない。

僕たちは急がなくてはいけない。

みんなで手を取り合って、未来を作っていかなくてはいけない。

そのためにもまずは、自分から。この本を何度も何度もお読みいただき、そして、自分のなかの価値観の選択肢をひとつでも多く増やしてもらいたい。そうやって、一人、また一人と、すぐ隣の人と手を取り合い、みんなでひとつになれたらと。

ただし、ここで言う「ひとつに」というのはもちろん、みんなで価値観をひとつにしたいと言っているわけではない。

むしろ、逆だ。それぞれがお互いの価値観を尊重し、そして、「その価値観もいいねえ」「おお、その価値観もいいじゃないか」と言いながら、さらに新しい価値観の選択肢や新しいアイデアを増やしていきたいのだ。

ぜひお近くの方に、この本をおすすめいただきたい。

多くの人が、この本をきっかけに凝り固まった価値観の檻から出られることを願っている。

そして、「心の選択肢」が増えることを願っている。

その上で、自分に合うものを、自分で「選択」して欲しいとも。

まずは「選択肢」を増やし、その上で自分の手で「選択」する。

政治や、社会を変えなければ増えない「選択肢」があるのは確か。

だけどそれ以外に、自分の先入観や、偏見を捨てさえすればすぐに増える「心の選択肢」がある。

これは、あなたの「心の選択肢」を増やし、あなた自身に「選択」してもらうための本だ。

今の日本社会に生きづらさを感じている全ての人に読んで欲しい。日本人が生きづらいのは、日本の常識しか知らないことが原因だと思うから。

多くの人が、そういう意味での「自由」を手に入れられるよう、これからも僕は動き続けようと思う。

The future depends on your choice.

未来はあなたの選択にかかっている。

谷口たかひさ

谷口たかひさ

たにぐち・たかひさ

1988年大阪生まれ。日本の大学在学中に留学費用の工面のため10代ながらインターネットビジネス会社を起業し、イギリスのマンチェスター大学へ留学。卒業後、チェーンストアのエリアマネージャー、アフリカのギニアでの学校設立支援、メガバンク／M&A／メディアのコンサルタント、グローバルIT企業の取締役を経験。その後、社会の課題解決を志してドイツへ移住し、起業。2019年、ドイツで気候危機の深刻さを目の当たりにし、「みんなが知れば必ず変わる」をモットーに、気候危機の発信や日本では報道されない世界情勢にまつわる講演を開始。世界中から講演に呼ばれるようになり、日本では1年で515回、全都道府県での講演を達成。2021年には国連総会の司会とスピーチも務めた。趣味は旅と勉強で、訪れた国は約80ヵ国。保有資格は国際資格や国家資格を含め30個以上。

デザイン　西垂水敦・市川さつき（kkran）
企画協力　山本時嗣
校正　ペーパーハウス
本文DTP　朝日メディアインターナショナル
編集　岸田健児（サンマーク出版）

シン・スタンダード

2024年2月10日　初版印刷
2024年2月25日　初版発行

著者　谷口たかひさ
発行人　黒川精一
発行所　株式会社サンマーク出版
〒169−0074
東京都新宿区北新宿2-21-1
（電話）03-5348-7800
印刷・製本　株式会社暁印刷

ISBN978-4-7631-4110-1　C0030
ホームページ　https://www.sunmark.co.jp